子鼠 丑牛 寅虎 卯兔

辰龍 巳蛇 午馬 未羊

申猴 酉鷄 戌狗 亥猪

十二生肖

邓明书法

十二生肖

邓明书法

十二生肖开大会

潘方尔水墨漫画

十二属诗

南朝陈·沈炯

鼠迹生尘案，牛羊暮下来。
虎啸坐空谷，兔月向窗开。
龙隰[①]远青翠，蛇柳近徘徊[②]。
马兰方远摘，羊负始春栽。
猴栗羞芳果，鸡跖引清杯。
狗其怀物外，猪蠡[③]窅悠[④]哉。

作者简介

沈炯（501—560），南朝陈吴兴武康（今浙江德清）人。仕梁，为尚书左户侍郎、吴令。

注释

① 隰：指『低湿之地』。
② 徘徊：来回走动。
③ 蠡：器物。
④ 窅悠：深远的样子。

十二生肖

又称十二属，十二属相。以十二种动物分配于十二个地支，按照人的出生年份来定所属动物。因此，十二生肖是十二地支的形象化代表，即子（鼠）、丑（牛）、寅（虎）、卯（兔）、辰（龙）、巳（蛇）、午（马）、未（羊）、申（猴）、酉（鸡）、戌（狗）、亥（猪）。

其来历，清梁章钜《浪迹续谈》曰:“十二辰各有所属，其说始于《论衡·物势篇》和《言毒篇》。南朝陈沈炯有《十二属诗》，属之称当在此时。《法苑珠林》引《大集经》言其所由来曰：‘阎浮提外，四方海中，有十二兽，并是菩萨化导，人道初生，当菩萨住窟，即属此兽护持，得益，故汉地十二辰依此行也。’”

其分配之义，则《旸谷漫录》言之颇详。据云，子、寅、辰、午、申、戌俱阳，故取相属之奇数以为名；丑、卯、巳、未、酉、亥俱阴，故取相属之偶数以为名。

Why the cat is absent?

Fun Facts about Twelve Zodiac Animals

邓　明	郑辛遥	赵澄襄	潘方尔
书法	简笔画	剪纸	水墨漫画 · 篆刻

民俗掌故日曆

编创团队　编

为什么没有猫？

趣谈十二生肖

仲富兰 著

上海辞书出版社

猫趣未入生肖录

潘方尔篆刻

序

十二生肖：专属于中国人的科学与浪漫

何菲

今早有友人在小群里发问："你们家吃腊八粥吗？"

这引发了几位好友的连锁回忆。我从腊八粥联想到过年，联想到年糕、春卷、汤圆，自然也联想到了每一个中国人都离不开的十二生肖。正好，一本图文并茂的书稿放上了我的案头:《为什么没有猫？——趣谈十二生肖》。是啊，十二生肖里为什么有老鼠却没有猫？这是个有趣的问题。而打开这个问题的钥匙，只能到多姿多彩的民俗当中去求索。

民俗有一个特点，它一经形成，就呈现出非常稳定的态势，十二生肖就是典型的民俗文化符号。生肖的出现，目前可确定是在先秦时期就有了雏形，经过一些蝶变与迭代，十二生肖被固定下来，并一代代传承下去，带有民间玄幻色彩，体现了我们的先祖对风调雨顺、五谷丰登的期望，也体现了我们的先祖对生克制化、阴阳平衡的理解和运用。

在我看来，民俗是历史、天道、风物与人情融合的产物。生活理应有着与天地合拍的节奏，合着阴阳律动，体会生命的有起有伏，享受凡人的风流节物与和美人情。之所以有十二生肖的排序和轮回，或

十二生肖
郑辛遥简笔画

许就是为人生积蓄赤子般的饱满情绪与动能。在一年又一年的荣枯往复中，蕴含着每一个人的个体生命流转的美学况味。加上来自生活的温柔与挫折，真的有点缠绵悱恻。

《为什么没有猫？——趣谈十二生肖》一书，表面写的是十二生肖的来历，实则写的是中国多姿多彩、气象万千的民俗，是中国的国家地理，是中国的国家历史，当然还有纵横交错的历史场域中个人际遇的沉浮和各种现实的或魔幻的事件的钩沉。这本小书将这些浩瀚的信息排列在一起，串连这些信息的就是十二生肖。十二生肖构成了这本书的逻辑线索，读者依循这个逻辑线索，可以清晰地看到十二生肖之所以能够跨越千年，在今天依然有着强大的生命力。

本书作者仲富兰教授，躬耕民俗学几十年，著作等身，是我国著名的民俗学专家，对于十二生肖也有着独到的研究。作为这一领域的大 IP 级人物，他在运用这一逻辑线索讲述十二生肖上自然也是高手，因此他的讲述在娓娓道来之中总是能给人以教益，也给人以惊喜。比如在写到生肖牛时，作者从鲁迅先生的名句“横眉冷对千夫指，俯首甘为孺子牛”写到汉宣帝时的宰相丙吉的路遇，再写到唐代诗人元稹的《田家词》以及隋代李密年少时“牛角挂书”苦读的故事。书中还写到春秋时代贫寒的卫国读书人宁戚抓住齐桓公出行机会，悲欣交集地叩牛角而歌：“南山矸兮，白石烂兮，生不逢尧舜之禅。短布单衣，偶而至肝。长夜漫漫，何时旦兮。”据我所知，齐桓公的识才用才也得到了后世的赞誉，以至于屈原在《离骚》中写道：“宁戚之讴歌兮，齐桓以该辅。”宁戚在遇到齐桓公时尽情讴歌，那一刻与齐桓公同频共振，留下佳话，而在他讴歌的过程中，不可忽略的是独特的“伴奏乐器”牛角，也产生了重要的作用。历史资料绵密丰富，在作者笔下却显得松弛丝滑，又有料有核。

2025 年是农历蛇年。蛇历来是有争议的生灵，却无人会否认蛇的灵性和谋略。本书还原了蛇的神性与灵性：在夏朝尊蛇为图腾；传说中补天的女娲也是人面蛇身；蛇在汉代许慎《说文解字》有载；蛇是明代李时珍《本草纲目》里的药材；是《白蛇传》里情深似海的白娘子和小青，是中国神话里从小与书生如影随形的担生，是春秋时隋国国君的“灵蛇之珠”……当然，也有《战国策》中的“画蛇添足”，屈原的“一蛇吞象，厥大何如”等另一种评价体系。作者写出了蛇的灵活多变、以柔克刚，也写出了蛇的知恩图报与运筹帷幄。元代元好问的诗“灵蛇不与世相关，时复蜿蜒水石间”是点睛之笔，以及徐悲鸿作于乙酉年的国画蛇，更是让蛇独有的灵气与它对世事的洞察跃然纸上。

这本《为什么没有猫？趣谈十二生肖》，虽然只是一本通俗读物，但又处处洋溢着编写者和出版人的“大智慧”。在本书的内容编排上，有关十二生肖的古诗、名句、成语、俗语、典故、风俗、格言、神话、寓言等有机收纳，融合于一书。这些围绕十二生肖产生的语言形式丰富多彩，不仅丰富了汉语的语言文化，也反映了人们对生肖动物的观察和评价，读者据此可以更深刻地理解十二生肖的特点和文化背景。而在本书的形式呈现上，又广邀名家，荟萃书法、简笔画、剪纸、水墨漫画、篆刻等多种文化元素，给读者带来琳琅满目的视觉享受。依托上海辞书出版社以《辞海》等品牌建立起来的强大的知识宝库和专家资源，本书打造了同类题材难以企及的竞争壁垒，称得上是一本以十二生肖为引子的“小百科全书”。

中国人的生活，既是一种物质生活，也是一种情感生活。今天的世界，科学已高度发达，如果用科学学识来检验，传统中有关生肖能够给人带来什么运道之类的说法都已站不住脚，但是，十二生肖依然被中国人遵守，这其中蕴含的就是中国人的一种情感生活，是中国人的一种浪漫风姿。十二生肖是中国年的刻度，与中国人共生共荣。十二生肖之于华人，不是物理的，而是精神的，可以解释时间，可以描绘山河，星辰大海，天道尽显，是共同感知体和乡愁的图腾，是专属于中国人的一份科学与浪漫。相信全球华人只要一听到“生肖”，DNA 就动了。

话说到这里，今早微信群里友人的提问，“你们家吃腊八粥吗？”也就有了不一样的答案。在美食纷繁的当下，小小一碗腊八粥之所以能够吸引住我们的味蕾，并不是它有多么的好吃，而是那平淡无奇的组合中所蕴含的专属于中国人的一份精神寄托，专属于中国人的一份浪漫。喝下这碗腊八粥，我们与先祖似乎就开启了对话机制，我们就不会忘记，我们是稻菽文明的受益者，是华夏文化的接班人。

而那些围绕着十二生肖展开的仪式和探究，郑重而唯美，正如本书尽管外表“很当下”，内核同样闪耀着古早的辉光。翻阅这本书，竟能翻涌起不少旧时情趣与乡土情意，让人联想起那些已经逝去的岁月，我们的祖辈父辈和我们自己，如何为生活而搏斗过，而我们的后人，在他们未来的生活之路上，十二生肖依然将伴随着他们，成为他们作为中国人的一个文化体征。

序言作者系专栏作家，中国作协会员，上海市作协会员，国家二级音乐编辑，SMG 知联会会员，长宁知联会会员。

十二生肖

赵澄襄剪纸

目录

鼠

(024-059)

牛

(060-087)

虎

(088-115)

兔

(*116-139*)

龍

(*140-163*)

蛇

(*164-187*)

馬

(188-219)

羊

(220-243)

猴

(244-271)

鷄

(272-299)

狗

(300-331)

猪

(332-364)

十二生肖中为什么没有猫？

猫是人们非常喜爱的动物。现在猫早已不是有钱人家的贵妇人或阔太太、阔小姐的宠物，而是成了寻常百姓家的宠物。但是，十二生肖中为什么没有猫呢？说起来，还有一段有趣的传说呢！

在很久很久以前，猫和老鼠原本不是天敌，还是好朋友呢！当玉皇大帝要安排 12 种动物轮流值日，也就是在排定十二生肖的时候，要举行公开的比赛，猫和老鼠都跃跃欲试，以期在比赛中一显身手。比赛之前，猫和老鼠都约定，一同前去参加比赛。

可是当比赛正式开始的时候，猫正在懒洋洋地打瞌睡，而狡黠的老鼠却没有去叫醒猫，悄悄地溜走了。在比赛中，它耍了小聪明，不仅通过了比赛，并且还夺得了第一名。

而当猫一觉醒来的时候，红日西沉，比赛已经结束，十二生肖的名次也早已排定了。猫也就与十二生肖失之交臂，永远地无缘了。从此，猫与老鼠结下了怨仇，猫见了老鼠就要扑上去咬死它。老鼠呢，自知理亏，见了猫就逃。有的老鼠见了猫，骨头也吓酥了。

这个猫、鼠“反目结仇”的故事，还没有结束，还有它的“续篇”。

猫日日夜夜要报仇，老鼠越是躲着猫，猫就越是一心要逮住它。

老鼠呢，也日夜在想着怎样对付猫，怎样治一下猫，机会终于来了——

老鼠用 100 只屎壳郎的代价，请狐狸代笔，写了一份诉状，送往玉皇大帝那儿，状上写道：

“猫虽生性懒惰，却巧于玩弄两面手法，白日里迷迷糊糊，似睡非睡，见人俯首帖耳，装一脸奴才相。而夜幕降临，便瞪圆虎眼，上蹿下跳，用其利爪捕获鼠类。我不犯猫，猫却犯我；我不食猫，猫却食我。只因为没通知它参加生肖选拔的赛跑，猫终身与我鼠辈为敌。如今，鼠类面临灭族之灾，祈请圣上神明，绳之以法，动之以刑，以平鼠愤。”

这份诉状因为没有写上玉皇大帝亲启，半路被玉皇大帝官邸的“办公厅”搁下来了。从玉皇大帝办公的官署衙门，不停地“画圈”“批转”，一直批转了九九八十一个衙门官邸，时间也拖到腊月二十三，每个官邸都批：此件重要，要作进一步核实和调查，云云。可眼看要过年了，大家忙着办年货，置酒宴，谁愿意为此事迢迢万里下凡尘。眼看限期临近，不办不成，各官邸的“头儿”急中生智，想到灶王爷要上天述职，急匆匆盖上碗口大的公章，将状纸转到玉皇大帝处。

玉皇大帝在御前议事时，向灶王爷核查这桩案子，灶王爷头摇得像个拨浪鼓，他一改“上天言好事”的永世宗旨，一口断言，这是“恶鼠先告状”。说老鼠虽小，却老偷吃粮食，老咬破人家衣物，老与人和神作对。讲到激动时，灶王爷捋着白胡须，摇着秃脑袋说：

“圣上，凡间的百姓说：‘老鼠过街，人人喊打！’足见民情激愤如此。”

玉皇大帝与老鼠无半点瓜葛，本来就是例行公事，听灶王爷这样一说，便在老鼠的诉状上批了“已阅”二字，了结了这桩官司。

喵

潘方尔水墨漫画

本来是天上的官司，谁知传到了地上。老鼠听了气得直咬牙。从此，老鼠不但恨猫，也恨起灶王爷来了。偷着空儿去咬灶王爷的神像，不解恨时，还往上面撒泡尿。

猫儿们得知了这个消息后，反响不一：有的自恃有神支持，更加发奋捕鼠；有的则觉得积极捕鼠反遭老鼠的仇恨，不如睡懒觉，养精神。但它们都感激灶王爷的救命之恩，常常眯眯眼睛、十分虔诚地去那里叽哩咕噜作祷告——懂猫话的翻译说，那是念的灶王经。

为什么十二生肖中没有猫？最根本的原因，是在十二生肖产生时，猫，也就是今日人们喂养的家猫，还没有加入“中国籍”。从生物进化来看，猫的历史比人类要早，但在汉代以前，我国只有野猫，或《诗经·大雅·韩奕》所说的“有熊有罴，有猫有虎”中的豹猫。据说，我国今天的家猫，来源于印度的沙漠猫。这种印度猫进入中国，大约最早在东汉明帝之后。在这之前，我国的十二生肖属相与地支的关系早已确立了。因此，猫咪榜上无名也就不足为怪了。

生肖为什么是 12 个？

生肖，为什么只有 12 个？ 11 个或者 13 个都不行吗？

形成十二生肖的数的概念，是个很复杂的过程，这里既有天文历法上的原因，也有古代术数家的牵强附会。因为数字在风俗习惯上传承，也涉及人们的思想意识、心理和社会等一系列的复杂原因。

古时候，人们对数字是看得极为神秘的，既怀着一种敬畏的心情，又产生出种种的禁忌。例如，汉族人民在交际礼俗中，设宴招待客人，招待客人吃饭，这上菜的数字，就有种种不成文的规定。一般都奉上 4 个、6 个、8 个菜或者 10 个、12 个菜，而不能出现奇数。否则，就是对客人的不敬和不恭，至于汤则不计入数内。送礼给别人也是如此，至少要两样，可以成双，常见的有 4 样，谓之“四彩礼”，取“四喜”的吉意。常见于喜庆筵席的一道传统名菜“四喜丸子”，包含了大吉大利的意思。在云南大理地区，白族人赠送礼品是必以“6”计。如送贺礼，茶叶要 1 斤 6 两或 2 斤 6 两，盐 6 斤，水果糖 6 斤，酒 6 斤或 6 瓶，绝不可没有“6”，因为“6”这个数字，在白族人心目中是一种互相尊重、礼尚往来的标志。

蒙古族民俗，以“9”为吉数，也是由来已久的。在蒙古的古祭礼中，供奉的神是9个兄弟神。可以说，以9为多数的观念，在原始时期就已经存在，沿袭下来，9不仅是多数，是无限多，而且是吉数。相传元太祖铁木真出生后睡的摇篮是由9个柳环编成的。在为他举行入篮的仪式时，摇篮里铺着9张洁白的羊羔皮。当铁木真当上了大汗被奉为首领时，庆祝了9天，向孛儿罕山行9叩礼，喝了900缸马奶子酒。这种风俗发展到民间，蒙古族人定亲要按9的倍数（即“一九”到“九九”）送定亲礼；拜谒祖宗成吉思汗陵时，用9种祭品；哈达以9尺长的“郎翠”为佳等；婚宴上唱的是“九九礼歌”……蒙古族以9作为吉祥象征的风俗是源远流长的。人们并不完全是以9显示富有，而是用9象征永久和无限。中国古代常常以“九五之尊”来表明皇帝至高无上的权威和神圣力量。久而久之，“九”在风俗习惯中则成为至尊无上的神圣数字。

理解了数字习俗的这种神秘的特性，我们就更加容易理解“十二生肖”中的“十二”的含义了。它所包含的吉利的民众意愿是很明显的。另一方面，在古代天文中，与人们关系最为密切的日月星辰，被早期的天文家和历法家总结出年、月、日等时间长度的规律，这些数字又进一步与人的生肖相结合。每个时辰又各自对应着28星宿中的2宿，其中子、午、卯、酉又分别对应着其中的3宿，加起来28星宿与12辰完全吻合和对应。

民俗有一个特点，它一经形成，就呈现出相对稳定的态势，被一代又一代的人所继承下来，要在短期内改变它就显得困难。“12”这个数就这样被不断沿袭下来，在人们的生肖中也被固定了下来。即使在今天，我们仍然可以从十二生肖中，窥见到古老的数字习俗的影子。

邓明书法　潘方尔水墨漫画（局部）

shǔ

鼠

《辞海》中的释义

1. 哺乳纲，啮齿目部分动物的通称。
2. 通“癙”。隐忧。见“鼠思”。

组词

鼠辈 / 鼠窜 / 鼠技 / 鼠目寸光 / 鼠璞 / 鼠窃狗盗 / 鼠壤 / 鼠思 / 鼠牙雀角 / 虫臂鼠肝 / 猫鼠同眠 / 穷鼠啮狸 / 社鼠城狐 / 首鼠两端 / 投鼠忌器 / 獐头鼠目 / 城狐社鼠 / 腐鼠 / 孤雏腐鼠 / 罗雀掘鼠 / 社鼠 / 首鼠 / 以狸饵鼠

子鼠

邓明书法

子鼠是十二生肖中“鼠”的全称，古人因子时老鼠活动最频繁，而将其列为地支的第一位。老鼠小巧、敏捷、机灵，自古有“鼠开天光”“鼠施谷种”的传说。柳宗元写有散文《永某氏之鼠》，苏东坡著有《黠鼠赋》。其作为生肖的象征意义，在于灵性、生命力强、细小微末、多子多福。

Rat

鼠

郑辛遥简笔画

为什么鼠肖为十二生肖之首？

相传，远古时候轩辕黄帝要挑选 12 种动物轮值掌管时间。谁先值？谁后值？动物们发生了争执。于是，黄帝决定举行一次动物赛跑，按比赛的名次排定顺序。在这场比赛中，据说牛原本一路领先，老鼠紧紧相随，眼看快到终点了，牛将稳坐第一把交椅。这时狡猾的老鼠急中生智，它爬到牛背上，快到终点时，老鼠从牛背上跳下来，抢了个第一名，牛反而落在了它的后面。于是黄帝就根据鼠、牛、虎、兔、龙、蛇、马、羊、猴、鸡、狗、猪的比赛结果顺序，分别派它们值子、丑、寅、卯、辰、巳、午、未、申、酉、戌、亥 12 个时辰的班。

还有一则传说，说天地生成于子时，生成之初，地球是个大气包，一片浑沌，天地没有缝隙，气体跑不出来，物质无法利用。生活在大气包里的老鼠憋得难受，它连咳几声，咳出了一条裂缝，气包里的气散发出去了，天地轮廓分明了。老鼠有打开天地的神通，子时当然就属鼠了。根据 12 时辰形成的属相，子鼠当然也就排在第一了。

传说并不是现实。十二生肖所选用的代表性动物，其中与人类最为接近的家畜家禽——马牛羊鸡狗猪，全部榜上有名；龙是吉祥之物，蛇是“小龙”；野生的猛兽有老虎，乃是百兽之王，柔弱而机灵者为猴子和兔子。奇怪的倒是德行不佳、其貌不扬的老鼠居然也入选上榜，并且坐上了十二生肖的第一把交椅。

老鼠是人人皆知的动物，也是危害人类的一种生物。在我们的现实生活中，不论是“除四害”或者“除七害”，总是把老鼠列为捕捉消灭的对象，甚至连 3 岁小孩也喜欢这样的儿歌：

小老鼠，上灯台，偷油吃，下不来，

妙、妙、妙，猫来了，咕噜咕噜滚下来！

老鼠在所有动物中，是最惹人讨厌的东西，因为它繁殖力惊人，破坏力太大了。凡是被老鼠光顾过的橱柜、衣物、谷仓、食品，都会破烂不堪，甚至难以再使用和食用，而且会传播疾病。这种有害无益的动物，竟排在十二生肖的首位，许多人对此感到不可思议。但千百年来，人们又不得不接受这个事实。历朝历代许多有学问的学者，都有过研究，试图解释这个事实。

如宋朝有一位叫洪巽的学者，他在《旸谷漫录》一书中把 12 地支分为阳性和阴性两种。子、寅、辰、午、申、戌，都是属相中的奇数，因此是阳性；丑、卯、巳、未、酉、亥，都是属相中的偶数，因此是阴性。如何来区分和排列相应的动物呢？因为地支在天干之上，所以各取动物的足爪是奇数还是偶数，奇数者属阳性，偶数者为阴性。虎、龙、猴、狗都有五趾，马是单蹄，所以都是阳性，分别与寅、辰、申、戌、午对应。而牛、兔、羊、鸡、猪都是四爪，所以都是阴性，分别与丑、卯、未、酉、亥对应。蛇虽然没有足爪，但它的舌头都有两岔，也归于偶数一类，故算阴，对应巳。而老鼠却是小小的例外，老鼠的前足四趾，后足五趾，这样它就是前阴后阳，阴阳兼具，正因为这个特殊性，符合了“子”时阴阳兼具的特点，小小老鼠正好与“子”相匹配，所以排在了十二生肖的第一位。

明朝的一位学者叫郎瑛，他在《七修类稿》的书里所提出的看法也很有意思。郎瑛认为，古代一个昼夜分为 12 个时辰，古人就是根据动物出没活动时间的规律，创造了用 12 种动物配 12 个时辰的历法规则。

子时，是昨夜 11 时至今晨 1 时，夜深人静，万籁俱寂，人们大抵进入了梦乡，而这个时辰，正是老鼠活动最为频繁和最为活跃的时候。“丑时”，指凌晨 1 时至 3 时，牛吃足了草，还在“倒嚼”，准备清晨起来耕地，所以“丑”就同牛搭配。“寅时”，指凌晨 3 时至 5 时，老虎腹中饥渴，最为凶猛，所以寅同虎搭配。清晨 5 时至 7 时，月亮（神话说月宫中有玉兔）的光辉还洒在土地上，所以“卯”就跟神话中的玉兔搭配。“辰时”是上午 7 时至 9 时，正是群龙行雨的时候，“辰时”就属于龙了。“巳时”是上午 9 时至 11 时，蛇不在人行走的路上游动，不会伤人，这样“巳时”就属蛇了。“午时”是上午 11 时至下午 1 时，即日中，又名日正、中午等。此时，太阳高悬于天空正中，阳光最为强烈，阳气达到鼎盛。古人将这一时段与十二生肖中的马相对应。“未时”是下午 1 时至 3 时，羊吃了这个时候的草，据说并不影响草的再生，“未时”就属羊了。“申时”是下午 3 时至 5 时，猴子喜欢在这时啼叫，所以猴就同“申”搭配。“酉时”，下午 5 时至晚上 7 时，鸡开始回到窝里，“酉”就同鸡联系在一起。“戌时”是晚上 7 时至 9 时，狗开始为主人看家守门，所以“戌时”属狗。“亥时”是晚上 9 时至 11 时，夜开始深沉，猪憩睡得最熟，所以“亥时”同猪相搭配。这一种说法，尽管牵强附会，但同样是把鼠排为十二生肖之首，作出了有别于前人的解释。

灯鼠图

齐白石

不论哪一种说法更有趣，也不论哪一种解释更准确，千百年来，属相肖鼠的年份，每 12 年就要来一次。它是这样流传下来的，它也会这样流传下去。就其实质来说，生肖只是一种符号，一种有趣的代号，是我们民族的风俗习惯的表现。我曾听说一些少年朋友比生肖属相，有些小朋友属虎、属龙，感到很自豪；有些属鼠的小朋友呢，却不怎么高兴，总认为属鼠不如属虎好，更有人脑袋瓜里挺迷信，把生肖与人生命运挂钩，因自己生肖是鼠而产生自卑心理，这是很要不得的。

我已经说过，生肖只是一种民俗文化的符号，除此之外，并不具有实际意义，大可不必对它喜好或恼怒。其实，古往今来，鼠年出生的英雄名人，实在很多。如三国时期深受东吴统帅孙权器重的鲁肃，唐朝两位著名的大诗人杜甫和白居易，南宋抗金名将岳飞的儿子岳云，明朝抗倭英雄戚继光，清朝著名的思想家、文学家龚自珍，乃至我国现代史上杰出的无产阶级革命家方志敏和李富春等，他们都属鼠，都为社会发展和推动历史发展做出了积极的贡献。

“灰八爷”“锁鼠”和“戒鼠”

我国是个有五千年文明传统的礼仪之邦。尊老敬老，是重要的一条。比如说，称呼老人吧，我们总称“张爷爷”“王奶奶”“李大伯”“赵阿姨”，或者“杨叔叔”“吴老师”，对于长辈和老师，一般不宜称呼他们的名字。

为什么对长辈不要直呼其名呢？从民俗文化的角度来看，这也是一种“忌讳”。

所谓“忌”，就是因为风俗习惯或个人理由等原因，对某些言语或者举动有所顾忌，日子长了，形成习惯，就称为“忌讳”。还有是对某些可能产生不利后果的事力求避免，比如忌说神圣事物的名称和尊长者的名字。同时为了尊敬长辈，就是不准小辈直接称呼父亲、祖父及所有长辈的名字。这是封建家族礼法的产物。明朝有个人叫陆容，他写过一本《菽园杂记》的书，书中说道：唐朝人很注意和重视这种忌讳，父亲的名字叫“岳”，因为“岳”与“乐”同音，儿子就终身不听音乐；父亲的名字叫“高”，因为“高”与“糕”同音，儿子就终身不吃糕，由于父亲的名字叫“晋肃”，因为“晋肃”与“进士”音同，所以儿子就一直不参加科举考试。这种忌讳，实在太过分了，简直到了荒唐的地步。

与这种习俗相同，说起来，还真叫人感到奇怪。在旧社会，某些唱戏的戏班子里，因为尊鼠，尊蛇等，对它们也不敢直呼其名，而是称它们为“大仙”或者叫“爷”，如称老鼠为“灰八爷”，称蛇叫“柳七爷”。

据说，“灰八爷”的好运并不仅仅限于梨园戏曲界。古时候，封建皇帝也演出过“尊鼠”和“锁鼠”的闹剧。公元1368年，明朝的开国皇帝朱元璋，在南京登基，就是坐上了皇帝的龙廷宝座。记载全国各地户口钱粮的“黄册”，都被送到了南京。为了放置黄册，明太祖朱元璋下令在玄武湖内建造一个存放黄册的“黄册库”。

这一天，黄册库建成了，玄武湖内张灯结彩，一派喜庆的热闹气氛。朱元璋在文武百官的簇拥下，亲自前往视察。

正当鼓乐喧天的时候，忽然一只老鼠从墙角穿过，可谓大煞风景。在场的文武大臣们一个个吓得面如土色。这“黄册”是黄纸质的簿籍，它最怕的就是老鼠。再说，黄册又是大明王朝的象征。鼠咬黄册，对于刚刚得了江山的封建皇帝来说，决不是吉利的兆头，而在这个节骨眼上，偏偏又让朱元璋亲眼看见，这可如何是好？

果然，朱元璋回到宫内以后，心中一直闷闷不乐。为了安定大臣们的情绪，永保他朱家王朝的天下，朱元璋眉头一皱，计上心来，他立即下达了一道秘密的圣旨，从附近的老百姓中查出一个姓毛的老人。朱元璋派人将这个老人活埋在黄册库旁出现老鼠的地方，并在上面盖了一座“毛老人庙”。因为朱元璋这个人极其迷信，他相信“毛”“猫”同音，出现鼠的地方，再有猫，不是可以以此来“锁”住老鼠吗？仅仅为了这个“锁鼠”，朱元璋就杀害了一个无辜的老人，真是残忍之极。

老百姓同情这位不幸的老人，因此这庙里一直香火不断。明朝灭亡后，人们就将“毛老人庙”改为“湖神庙”。

戏班子称老鼠为“灰八爷”，是出于忌讳，朱元璋的所谓“锁鼠”，也同样是出于忌讳。但是，许多人是将鼠作为一种生肖，而又把这种生肖与人生联系起来，从而引出种种禁忌，也引出了许多故事。

东汉时代，民间曾流行过这样的谣谚：“今年岁在辰，明年岁在巳，岁在龙蛇贤人嗟。”意思是说：今年是龙年，明年是蛇年，遇上龙年和蛇年，贤才君子只能叹息而已。

一旦将生肖与人间的事挂起钩来，就会麻烦不断。唐朝著名的文学家柳宗元，有一篇题目叫《三戒》的文章，其中的《永某氏之鼠》说了这样一个故事——

话说唐朝永州（在今天的湖南永州、东安、祁阳和广西全州、灌阳等市县地）有一户人家，主人相信算命先生的话，忌讳特别多。他认为自己是子年出生的，属鼠。所以就特别敬奉和喜欢老鼠，把老鼠看成是神灵一般。因为他相信，这样做会给属鼠的人带来好运气。他担心猫、狗会捕捉老鼠，便不再养猫养狗，而且还下了命令，不准仆人打杀老鼠，任凭老鼠在他家里自由地生活、繁殖。

于是老鼠们非常欣喜，对这个仁慈的主人感激涕零，还相互告知，纷纷到这里落户。在这个属鼠的人的家里，老鼠可以饱食终日，还可以毫无顾忌地活动，不再担心被捕捉、被毒杀，十分安全。

从此，这个人家里再也没有完好的衣服和完整的器物，甚至吃的、喝的食品，也多半是老鼠吃过剩下的。白天老鼠经常与人一起同在屋中行走。夜间出来啃咬东西，互相争斗，发出各种怪声，使人无法安静地睡觉。但这个人却始终不感到厌烦，还感到十分有趣。

这样过了几年，这个属鼠的人搬迁到别的地方去居住，这个屋子也换了新的主人。而这个新主人既不属鼠，也没有爱鼠的嗜好。但屋中老鼠依然如故，目中无人，继续肆意横行。新搬来的主人毫不客气，请来了五六只猫，把房门关上，往老鼠洞灌水，还命令仆人来捕捉它们。结果杀死的老鼠，堆成了个小山丘，足足发臭了好几个月。

柳宗元说了这个故事以后，感叹道："呜呼！彼以其饱食无祸为可恒也哉！"这些老鼠本以为饱食终日而又没有灾祸的日子，是可以长久下去的。故事的寓意是深刻的，它告诫人们：要居安思危、要有忧患意识。不要以为有了机会就可以为所欲为，放肆狂妄，违法乱纪，如果忘记了自己本来的身份和所处的环境，必然遭到杀身之祸。

但是，还有一层意思，柳宗元没有说。那就是，如果那个属鼠的主人，不是把生肖与人生挂钩，从一开始就积极消灭老鼠，老鼠也不敢到他家横行肆虐，当然也就不会发生鼠尸堆积如丘、发臭几个月的后果。这也是唐朝人生肖忌讳所造成恶果的一个反映吧。

古时候，人们甚至相信生肖会显灵，有人还因此改变自己的饮食习惯，如属羊的人不吃羊肉，属牛的人不喝牛奶等。直到现代社会这样的情况仍然存在。鸡肉又香又有营养，可是有的人却不吃鸡肉，仔细问了他之后，才知道他是属鸡的。

属鸡的人不吃鸡肉，属牛的人不吃牛肉，那么属猪的人就不吃猪肉了，那不是很可笑吗？！

《老鼠娶亲》故事及其演变

你见过年画和剪纸吧。

在我们国家，每当新春佳节来临的时候，不论在南方还是北方，人们都喜欢张贴年画或在窗户上张贴剪纸。年画和剪纸，既可以表达人们在新春佳节中的美好祝愿，同时也增添了节日的喜庆气氛。

在流行的年画和剪纸中，有一个常常被采用的题材，那就是《老鼠娶亲》，也有称为《老鼠嫁女》的。

对这种作恶多端的坏东西，为什么在民间年画和剪纸中，又偏偏为它描绘出像人一样成亲那样的热闹场面呢？

你看，《老鼠娶亲》画面，俨然是人间嫁娶的盛况，娶亲仪仗队中，有花轿、彩旗、灯笼和吹吹打打的鼓乐队等，真同人间结婚娶亲的情况一样。所不同的是，参与“婚礼”者和坐在花轿里的“新娘”，或者是骑马迎亲的“新郎”，都是由獐头鼠目的老鼠来充当。年画画面色彩，主要有红、绿、黑 3 种颜色。

图画是幻想出来的，但又有一定的现实感。老鼠在民间艺人的笔下，完全被拟人化了。在这种幻想性的年画中，有一点情景特别值得思索，就是在有些图像中，那迎新仪仗的出场者，都是清一色的老鼠。

而也有一些图像，除了老鼠以外，却又添了一只身体硕大（从比例上看）的猫公。猫神态威严，所占据的位置，在迎亲队伍的前面或后面，有的画面甚至出现了猫在生吃那些老鼠的情景。

正在热热闹闹地办“喜事”的老鼠中，蓦然间出现一只大猫。从这一不协调的场面中，人们可以思索起《老鼠嫁女》故事的演变。其实，这种演变正是人们对老鼠态度变化过程的反映。

在遥远的上古时代，人们对于老鼠是抱怨和惧怕的。因为它虽然体形不大，但为害却不小。例如古代有一本叫《稽神录》的书里，说一个叫卢嵩的人，他家的老鼠为了骗吃骗喝，躲在灶炕里装人哭。卢嵩听到有人哭，便赶快摆上供品。老鼠吃完供品，又钻进灶炕。如此再三，最后卢嵩才知道是一群老鼠在捣乱，它们实在是无比狡猾。

远古，人类限于认识水平，还不能有效地制止老鼠作恶的时候，就只有敬畏它甚至亲近它，以期和它“和平共处”。世界各个民族几乎都经历了一个“动物崇拜”的阶段。在这个阶段，除了崇拜龙、凤、大鸟、狗、蛇等外，也有不少民族崇拜老鼠。在古代印度老鼠被奉为神圣的动物——圣加尼西神，即掌管人间“繁荣与成功”之大业的使者。直到中世纪，人们还特地为老鼠修了庙，至今这些老鼠庙仍然完好无损，香火不绝。庙里每天早晚要举行两次祈祷，两次喂鼠仪式。老鼠一听见信徒们敲鼓念经之声，便会从洞穴中纷纷出来，跑到摆放食物的地方狼吞虎咽。受用完毕，又成群结队钻回洞穴休息。

尤其让人感到奇怪的是，这个老鼠庙还订有严格的“庙规”。凡来该庙参观或朝拜的，必须遵守：一、不论在任何情况下，都不得伤害庙中的老鼠；二、如果不慎踩死这个庙里的一只老鼠，必须赔偿一只与死鼠同样重量的金子铸成的老鼠；三、入庙膜拜时，必须携带食

老鼠娶亲
中国年画

物。所以世称该庙为“老鼠的天堂”。

在我国，至今未曾听说哪个民族崇拜鼠为“祖先”的，但老鼠在远古时代的声誉是很高的。十二生肖中，老鼠就坐上了第一把交椅。据考古学家考证，在北京猿人遗址上，发现过成堆的老鼠骨骼，说明北京猿人饲养过老鼠，目的是获得肉食。这时人们对老鼠不再崇拜和迷信。在大约一万年以前，人类开始种植谷物和蔬菜时，老鼠毫不客气地分享人们的劳动果实。从这时起人们就开始憎恨老鼠了。

既怕它，又恨它，这的确是一种矛盾。此后，在漫长的岁月里，人们也逐渐养成了这方面的风俗和习惯。直到近代，在我国南方的某些省份，在大年夜或新春的某个晚上，人们还要用食品来奉祀家鼠，并且告诫孩子们早点入睡，不要惊扰老鼠。可以说，这是远古时代，人们对老鼠表示尊敬或友好习俗的遗留。民间艺术家创作《老鼠娶亲》时，他们的艺术图画，只是那种心理和风俗的形象化的表现。

但是，随着社会的不断进步，人们认识和改造自然的能力也逐渐提高，终于找到了一些遏制老鼠的方法。有了这些方法，人们对老鼠的态度渐渐由敬畏变成憎恶。

春秋时代，齐景公问治国之患，聪明的晏子就回答道：“祸害来源于社鼠。”他用“社鼠”来比喻那些在景公左右，凭借景公权力胡闹的僚属。齐景公爱好整夜整夜地喝酒，有个叫臧武仲的人更直接地批评他像老鼠，白天睡觉，夜里出洞。

隋炀帝暴虐无道，人们就编造故事，传说他是一只大老鼠的化身，有人从古墓中掘出一只大老鼠，狠狠地鞭打它的脑袋，隋炀帝正好做梦，梦见有人在打他的脑袋。他醒来后，还头疼了一个多月。

唐代，武则天被册封为皇后之后，残害后妃。萧淑妃临死前骂道：

“阿武妖滑，乃至于此！愿他生我为猫，阿武为鼠，生生扼其喉。”这一切，都反映了古人对于老鼠的深恶痛绝。

自从猫作为老鼠的天敌，被引入我国后，人们就开始了大规模的灭鼠活动。到了这个时候，传统的艺术题材和艺术表现，仍然还在人们的审美上起着作用。但是，那种新的现实因素，例如猫捕鼠，就不能不闯入民间艺人的意识之中。这样一来，就自然要在传统的画面上添上那个令人注目的猫公了。

官仓鼠[1]

唐·曹邺

官仓老鼠大如斗，见人开仓亦不走。
健儿[2]无粮百姓饥，谁遣朝朝入君[3]口？

注释

① 官仓鼠：仓，放粮食的房子。作者把贪官污吏比作官仓鼠。
② 健儿：士兵。
③ 君：指老鼠。

鼠 诗词·名句

作者简介

曹邺（816—约875），唐朝诗人，字邺之（一作业之），桂州（今广西桂林）人。

解说

官府粮仓里的老鼠被养得像斗一样又肥又大，看见人打开仓门也不逃走。前方守卫边疆的士兵没有饭吃，老百姓也饿着肚子，是谁天天把粮食送到老鼠嘴里去的呢？

我是小老鼠

潘方尔水墨漫画

清平乐·独宿博山王氏庵[1]

南宋·辛弃疾

绕床饥鼠，蝙蝠翻灯舞。
屋上松风吹急雨，破纸窗间自语。
平生塞北江南，归来华发[2]苍颜[3]。
布被秋宵梦觉，眼前万里江山。

注释

① 独宿博山王氏庵：独自睡在博山姓王人家的小屋里。博山，在江西省广丰县。

② 华发：头发花白。

③ 苍颜：面容苍老。

作者简介

辛弃疾（1140—1207），南宋诗人，字幼安，号稼轩，历城（今山东济南）人。他年轻时参加过抗击金兵的军队，四十多岁以后罢官住在乡下，一直没有被朝廷重用。他是我国著名的爱国诗人。

解说

饥鼠绕床爬行，蝙蝠围灯翻飞。从松树林刮来的大风带着急雨点，打在屋顶上。破裂的糊窗纸在呜响，像是自言自语。我想着过去的事：平生为国事奔驰于塞北江南，归来已头发花白、容颜苍老。秋夜我盖着薄被，冻醒后，梦里的祖国河山仿佛还在眼前。

长羡蜗牛犹有舍，
不如硕鼠解藏身。

——唐·白居易《卜居》

梦断酒醒山雨绝，
笑看饥鼠上灯檠。

——宋·苏轼《侄安节远来夜坐三首·其二》

梦破鼠窥灯，
霜送晓寒侵被。

——宋·秦观《如梦令》

秋来鼠辈欺猫死，
窥瓮翻盘搅夜眠。

——宋·黄庭坚《乞猫》

灯青人已眠，饥鼠稍出穴。
掀翻盘盂响，惊聒梦寐辍。
唯愁几砚扑，又恐架书啮。
痴儿效猫鸣，此计诚已拙。

——宋·梅尧臣《同谢师厚宿胥氏书斋闻鼠甚患之》

鼠 成语

抱头鼠窜

抱着头像老鼠那样乱窜。形容急忙逃走的狼狈相。

胆小如鼠

胆子小得像老鼠。形容胆子非常小。

猫鼠同眠

猫和老鼠同在一处睡觉。比喻上级昏庸失职，纵容下属干坏事，也比喻上下狼狈为奸，一起干坏事。

投鼠忌器

要打老鼠，又顾虑打坏它旁边的器物。比喻想打击坏人，而又有所顾忌。

忌：顾忌，顾虑。

鼠 俗语

捕得老鼠，打破油瓶

比喻做事考虑不周密，会造成损失。

吃饱的猫不捉鼠

比喻人得到满足后就不努力干事了。

大虫头，老鼠尾，有始无终

老虎的头很大，老鼠的尾巴很细。比喻开始做事时气势很大，到后来却无声无息，所以说“有始无终”。

大虫：老虎。

狗咬耗子，多管闲事

老鼠一般是由猫来捕捉的。讽喻不该管的事也去管。

耗子：老鼠。

喜迎鼠年

赵澄襄剪纸

寒猫不捉鼠

受冻挨饿的猫捉不住老鼠。比喻身体瘦弱就不能做事。

会捉老鼠的猫儿不叫

会抓老鼠的猫总是不声不响，怕惊动了老鼠。比喻有本事的人从不会在人前吹嘘自己。

老鼠掉进书箱，咬文嚼字

比喻玩弄词藻，炫耀学问，或过分地斟酌字句。

老鼠过街，人人喊打

老鼠窜过街道的时候人人喊着打。比喻害人的东西，人人讨厌和痛恨。

老鼠跳进白米囤

比喻意外幸运地得到了一个能捞到很多好处的机会。

囤：用竹篾、荆条、稻草编成的或用席箔等围成的盛放粮食的器具。

老鼠尾巴上生疮，出脓也不多

比喻没有多少油水或成不了大气候，不值一提。

老鼠钻到风箱里，两头受气

老鼠钻到风箱里，不管在哪一头，都处于风箱产生的气流之中。比喻哪一面都不讨好。

风箱：一种可压缩空气而产生气流的装置，常用来使炉火旺盛。

猫哭耗子假慈悲

猫性喜食鼠，却假装怜悯它。比喻假装同情受害的人。

猫鼠不可同穴

猫和鼠不可同住在一个洞里。比喻敌对双方不能同在一处。

蛇有蛇路，鼠有鼠路

比喻各有各的门路。

死蛟龙，不若活老鼠

比喻平常的鲜活之物远比珍

奇的死货贵重。

蛟龙：传说中能兴风作浪的龙。

死知府不如一个活老鼠

指下了台的知府还不如一只活老鼠有用。形容世态炎凉，人情势利。

知府：古时府一级的行政长官。

瞎猫撞着死老鼠

瞎眼猫本来抓不住老鼠，但却正好摸到一只死去的老鼠。比喻碰运气取得了成功。

腰里掖个死耗子，假充打猎的

指冒充能手。

一粒老鼠屎，坏了一锅粥

比喻只要有一点点坏的或有害的东西，就会使整体遭到破坏。

鼠 典故

腐鼠

战国时的惠施当了梁国的相官，庄子去看他。有人对惠施说：庄子是想取代你的相位。惠施很害怕。庄子见到惠施便说：南方有一种凤类的鸟，叫鹓雏，从南海飞向北海，非梧桐树不停，非竹子的果实不吃，非甜美的泉水不喝。这时鹞鹰抓到一只死老鼠，抬头仰视高空中的鹓雏，竟害怕它来夺死鼠，想把它吓走。现在你想拿梁国相官来吓我吗？（见《庄子·秋水》）后用“腐鼠”比喻庸俗的人所珍视的贱物。

雀角鼠牙

《诗经·召南·行露》：“谁谓雀无角，何以穿我屋？……谁谓鼠无牙，何以穿我墉？”

大意：谁说麻雀没有嘴，怎

么啄穿我的屋？谁说老鼠没有牙，怎么打通我的墙？原诗写强暴侵凌，引起争讼。后用“雀角鼠牙”作为打官司的代称。

角：鸟嘴。

墉：墙壁。

鼠狱

西汉的张汤幼年时，父亲有事外出，叫张汤守家。不料发现食肉丢了，父亲便把张汤打了一顿。张汤掘开墙洞，挖出老鼠，找到剩下的食肉。他将老鼠拴在庭前，先拷打审问，并记录供词，写出案卷。然后审判定罪，张贴判决书。最后将老鼠分尸于堂下。他父亲细看案卷和判决书，上面文辞真切，竟然就像一位老练的狱吏办案一样。（见《史记·酷吏列传》）后用“鼠狱”作为精于判案的典故。

鼠璞

古时郑国人把尚未加工治理的玉叫璞。周地人把没有晒干的老鼠叫璞。一次周人怀里藏着璞对郑国的商人说：“想买璞吗？”郑人说：“要买。”周人拿璞来让他看，原来是只晒干的老鼠。（见《尹文子·大道》）后用“鼠璞”比喻有名无实。

五技鼠

战国时荀子说：梧鼠只有五种技能就穷尽了。汉朝蔡邕也说过：一种老鼠有五种本领，却一样都不精通：能飞又不能飞过房屋；能爬树又不能爬到树梢；能游泳却又不能渡过河谷；会挖洞却不能把身子藏起来；能走又不如人走得快。（见《荀子·劝学》、蔡邕《劝学篇》）后用“五技鼠”比喻多能而不能精于一技。

十二生肖：鼠

徐悲鸿

鼠 风俗

避老鼠落空

旧时上海一带有避老鼠落空的习俗。老鼠外出觅食，失足落地，称为老鼠落空。据说见者多为不吉利，必须禳解。其方法是沿街讨米，回家用以煮饭，食后便可化解。

打老鼠眼

汉族民间岁时旧俗。流行于浙江南部。元宵节，人们煮黑豆，然后在室内撒黑豆，俗信可除鼠患。撒时，撒豆人站在梁下，手抛黑豆到梁上，口中念道："西梁上，东梁下，打得老鼠光笃笃（断种之意）。"一般抛七粒，黑豆从西梁上去到东梁落下才有效。

熏鼠火

朝鲜族岁时风俗。流行于东北地区。农历正月第一个子日，孩子们在田埂上撒下稻草点火烧杂草。农家根据火势的大小来预估当年的收成。这一风俗具有灭虫、灭鼠及增加地力等意义。

照虚耗

俗称"间间亮"。汉族民间岁时旧俗。流行于黄河中游、长江中下游地区，湖北、安徽、河南等省尤盛。各地时间不一，有的在农历正月十五夜，有的则在农历十二月。这一天，家家在门、床及厨、灶、厕所等处燃灯，称"照虚耗"，含有驱邪求吉之意。一说是要把一切不吉利的东西照得无影无踪，使新的一年吉祥如意。一说"虚耗"即老鼠，点灯照明是为了赶走老鼠。

鼠 神话

蜡烛峰

中国山川名胜传说。古时，浙江雁荡没有太阳，只有一对大蜡烛燃着。烛光照到的地方，树木茂盛，庄稼丰收。有只大老鼠，害怕亮光，总想把蜡烛吃掉。一天，老鼠走近蜡烛，被一对蛇夫妇看见了。蛇妻冲到老鼠面前，身体一横，化作一条小溪；蛇夫对准老鼠吹一口气，老鼠顿时化作一座鼠山。蛇夫日夜在溪边陪伴化成小溪的蛇妻，日久变成蛇山。那对燃着的蜡烛也化成两座一模一样的蜡烛峰。

鼠 寓言

捕鼠

——宋濂《宋文宪公集遗编》

老鼠非常狡猾，白天躲在洞里不出来，夜里爱盗吃粮食。为了捕鼠，有个人把谷子放在坛子里，让老鼠随便去吃，不去管它。老鼠就招呼它的同伴一起进去吃，每次都吃得饱饱的才回去。那个人看时机已到，就把谷子换成水，弄点糠皮覆在水面上。老鼠不知道，到夜里，又招呼同伙按次序爬进坛子里，结果全淹死了。

◇对狡猾的敌人，要巧妙地引诱他上钩，然后一举消灭。

大鼠

——蒲松龄《聊斋志异》

明朝皇宫里有只大老鼠，长得跟猫差不多大，找了好多猫来捕捉，反而都被老鼠吃了。后来外国进贡了一只狮子猫来，跟老鼠关在一间屋里。猫蹲了好长时间，老鼠从洞里窜出，一见猫就扑上去。猫躲避鼠，跳上茶几，老鼠也跟着追上去，就这样跑上追下不下一百个来回。渐渐地老鼠累得直喘气，蹲在地上休息。这时猫一下子冲下来，用脚爪抓住老鼠头上的毛，用牙齿啃老鼠的脑袋，老鼠被咬得发出阵阵惨叫。这时，人们把门打开一看，老鼠头已给嚼碎了，这才知道猫原先避开老鼠，并不是怕鼠，而是要把它拖垮。

◇有勇有谋的人从来不虚张声势，而是以守为攻，等待时机成熟，一举反击，大获全胜。

见鼠不见庐

——宋濂《龙门子凝道记·尉迟枢》

有个农民用茅草盖了房子，辛勤耕作，打下的粮食足够过日子。可恨那些老鼠白天窜来窜去，夜里也乱吃乱咬。一天他喝醉了酒，刚睡觉，老鼠就出来捣乱。他愤怒极了，就拿起火把四处烧杀老鼠。老鼠烧死了，茅屋也烧光了。第二天酒醒过来才发觉连安身之处都没有了。事后他对人说："我因为痛恨老鼠，所以灭鼠时只见到老鼠，没注意房屋，想不到会遭遇这样一场灾祸！"

庐：茅草屋。

◇铲除祸害要讲究方法，以免造成更大的损失。

狡猾的鼠

——苏轼《苏东坡集·黠鼠赋》

苏子夜里靠在床上休息，有只老鼠在咬东西。他拍了一下床板，老鼠就不响了。但过了一会儿，老鼠又咬起来。他让小家僮用蜡烛照一照，发现地上有只空口袋，嘎吱嘎吱的声音就是从袋子里边发出的，就说："哦！原来是一只老鼠被关在口袋里出不来了！"于是打开口袋，可是什么也没有，再用蜡烛照着看，才看到一只死老鼠。小家僮惊奇地说："刚才还在咬呢，怎么这样快就死了？真见鬼！"说罢就把口袋倒过来，老鼠从袋中掉下来，"嗖"的一声跑掉了。苏子不禁长叹一声，说："啊，这只老鼠真狡猾呀！"

◇对狡猾的坏人要有高度的警惕。

社鼠

——《晏子春秋·内篇问上》

齐景公问晏子："国家的祸患是什么？"晏子说："是土地庙里的老鼠。"景公问："这是什么意思？"晏子答道："土地庙的墙壁是用木条编排起来，外面再糊上泥做成的，老鼠就爱寄居在那里面。如果你想用烟火去熏杀老鼠，怕会烧毁了木头；如果你想灌水去淹死老鼠，又怕浸塌了泥墙。老鼠之所以消灭不掉，就是由于土地庙的缘故。国家也有这种老鼠，就是君主亲信的那些人。他们在朝廷中颠倒善恶，在朝廷外卖弄权势。不杀他们，国家就混乱不堪；而杀他们，他们又受到君主的恩宠庇护。君主把他们当作心腹，可这些人正是坑害国家而又难以根除的老鼠啊！"

社：土地庙。

◇有些祸害难以根绝，正是由于后面有庇护者。

鼠

潘方尔肖形印

外国动物故事

智者小鼠与圣树

［印度］

在印度北部，有一个被茂密丛林环绕的小村庄，村子的中心是一棵神圣的古树，树干粗壮，枝叶茂盛，村民称其为“生命之树”。传说中，这棵树有神灵守护，只有最聪明、最勇敢的生物才能破解它的秘密，从而得到智慧和好运。

村庄里生活着一只小鼠，名叫奇尼。奇尼体型小巧，但聪明机敏，是村里唯一敢在夜晚偷偷跑到古树下的小动物。奇尼总觉得这棵树有着不可思议的力量，却不知如何解开它的秘密。

有一天，村庄遭遇了前所未有的干旱。河水干涸，庄稼枯萎，村民们害怕极了，纷纷前来古树下祈求神灵的保佑。就在这时，一阵轻风掠过，树叶发出低语般的声音。奇尼竖起耳朵，听到一个苍老却威严的声音：“只有破解我提出的三个谜题者，才能唤醒生命之力，拯救村庄。”

村民们面面相觑，无人敢上前应战。奇尼心想：“也许这正是我的机会。”它挺起胸膛，走到古树下，仰头对着树冠说道：“我愿接受挑战。”

树叶沙沙作响，仿佛在笑。“一只小鼠，年幼无知，你可知道这些谜题从未有人解开？”古树道。

“我愿意试试。”奇尼回答，眼中闪烁着坚毅的光芒。

第一个谜题响起：“是什么没有脚却能跑，没有嘴却能唱？”

奇尼回想起它在河边时常听到的水声。河水在阳光下奔流不息，唱出一首首自然之歌。它坚定地回答：“是河流。”

古树发出低沉的笑声：“回答正确。但不要高兴得太早。”

紧接着传来第二个谜题：“是什么在黑暗中与光共舞，未曾见面却密不可分？”

奇尼回忆起夜晚的月光下，自己的影子跟随它跳跃奔跑。它回答：“是影子。”

树叶又响动了片刻，古树的声音有些惊讶：“聪明的小鼠！那么最后一个谜题：当一切归零时，什么仍然保持不变？”

这一次，奇尼陷入了深思。它想到了村庄经历过的风暴、洪水、干旱，以及每次灾难过后，村民们依旧怀抱希望，相互扶持。它想起了自己在寒冷的夜晚寻找食物时，那份渴望生存的力量。

它抬起头，声音平稳地说道：“是希望。无论一切都归于虚无，只要心中仍怀有希望，它就不会消失。”

古树寂静无声，片刻后，树冠震动，树叶沙沙作响，似乎在鼓掌。“聪明的小鼠，你已解开了所有谜题。你的智慧和勇气值得奖励。”树干微微裂开，清泉从树根涌出，流向干涸的田地。村民们见状，欢呼雀跃，纷纷感谢奇尼。

从此，村庄再次焕发生机，村民们尊称奇尼为“智者小鼠”。每逢干旱年景，人们便会来到“生命之树”前讲述这只小鼠的故事，传递着智慧与希望的力量。

邓明书法　潘方尔水墨漫画（局部）

牛

niú

牛

《辞海》中的释义

1. 黄牛、瘤牛、水牛、牦牛及其种间杂种的统称。
2. 比喻固执或倔强。如：牛脾气；牛性子。
3. 形容气势强、有办法。如：这小子真牛！
4. 植物种中特大者之称。《尔雅·释草》："莙，牛藻。"郭璞注："似藻叶大。"
5. 星官名。二十八宿之一，即"牛宿"。《晋书·张华传》："吴之未灭也，斗牛之间常有紫气。"
6. 国际单位制中力的单位"牛顿"的简称。
7. (Niú) 姓。

组词

牛鼻子 / 牛刀 / 牛鬼蛇神 / 牛后 / 牛郎 / 牛郎织女 / 牛马走 / 牛眠地 / 牛腩 / 牛女
带牛佩犊 / 对牛弹琴 / 割鸡焉用牛刀 / 函牛鼎 / 汗牛充栋 / 呼牛呼马 / 鸡口牛后 / 九牛一毛 / 老牛舐犊 / 马牛襟裾

春牛 / 斗牛 / 饭牛 / 犏牛 / 风马牛 / 封牛 / 归马放牛 / 黄牛 / 夔牛 / 犁牛

丑牛

邓明书法

丑牛是十二生肖中“牛”的全称，古人因牛是第一个耕耘大地的动物，而列为地支的第二位。牛在农业社会地位非常重要，自古有春牛呈祥、金牛报恩、牛郎织女的传说，还有青牛出关、牛角挂书、孺子牛等典故。其作为生肖的象征意义，在于谨慎小心、脚踏实地、稳扎稳打。

Ox

牛

郑辛遥简笔画

牛——人类忠诚的朋友

从前，有一个贪财如命的县官，只要有人送礼，总是来者不拒，多多益善。可他嘴上还总是虚情假意地拒绝一番。一天，他对手下的属吏说，某月某日乃是我 59 岁生日了。“我讨厌做寿，特别是像 60 岁那样的一甲子，我是忌做正寿的”。但他的属吏听出这位上司的意思来了：做九不做十，说是忌正寿，那还是要做 59 岁的生日啊，这分明是要我们送礼。因为打听到这位县官是属鼠的，所以大家凑钱铸了一只金鼠作为寿礼送给他。县官看到这只金鼠十分高兴。“不过，”他顿了一顿说：“我夫人的生日也就在眼前了，她是属牛的。”

大家读了上面这则故事不知有何感想。其实，县官的意思很明白，希望他的属吏能继续送更多更多的礼，得陇望蜀，贪得无厌，真是无耻到了极点。县官希冀得到金牛，真是一种莫大的讽刺，因为他贪鄙的本性与牛乐于奉献的本性，恰成鲜明的对照。

鲁迅先生曾有“横眉冷对千夫指，俯首甘为孺子牛”的名句。他还说牛吃的是草，挤出来的是奶，对牛的奉献精神作出了最好的概括。不久之前，听到两则消息，一则是在西藏自治区的拉萨市，竖起了一座象征藏民奉献精神的牦牛雕像；另一则是在深圳经济特区，人们赞美象征特区人民深化改革，弘扬开拓精神的“开荒牛精神”。这两则消息都表明，牛的精神在这里得到了进一步的升华。

牛的种类较多。按牛角形状分，大致有长角种、短角种、无角种；按牛的功用分，有耕牛、肉牛、乳牛、斗牛、驮牛等。耕牛刻苦勤劳又善于耙田耕地；肉牛躯体肥厚，专供食用；乳牛的牛奶是营养丰富的食品；斗牛长着尖尖的角，非常有力，十分会角斗，西班牙的斗牛世界闻名；驮牛生得高大而有力气，能够驮着人或物走很远的路程。如果论品种，一般有水牛、赤牛、额牛、瘤牛、原牛、瑞士牛、乔西牛、荷兰牛、埃西安牛、转角牛、爪畦牛、珍野牛、犁牛、骑牛、犀牛等。

在十二生肖中，牛与人类关系最为密切。我国是个古老的农业国，从原始社会开始，牛一直作为人们从事农业劳动的忠实朋友，帮助人们去完成繁重的劳动：耕田、耙地、拉车运货。没有牛，人们的劳动强度不知要增加多少倍，生产效率也必然大大降低。所以说，在人类社会的发展中，牛确实是个大功臣。

牛不仅活着的时候辛勤地为人类劳动，而且在死后也完全彻底地把所有的一切奉献给人类，供人类食用和制造各种日用消费品。例如牛肉便是人们餐桌上的美味佳肴；牛油可以做蜡烛、肥皂及其他多种工业品；牛皮可做铠甲，制鼓，制皮衣、皮裤、皮鞋、皮帽、皮带、皮箱、皮包、皮球、皮手套，甚至可以做胶、酒囊、水袋、皮筏子等；牛蹄可以做胶，牛筋既可以做胶，也可食用，或制弦；牛骨、牛齿能制成器具和饰物；牛角可制造器物、工具、工艺品、还可以做药材；此外，牛粪可作肥料，晒干后又可作燃料，有的农村还将牛粪掺上泥土和成泥巴糊墙壁，不但可以使墙壁不出现裂缝，而且不长臭虫。在医药方面，“牛黄”可以治癫痫，小儿百病，尤其是“热病”，人们利用牛体发痘培养疫苗，在人身上接种“牛痘”，可免除天花病的发生。如今，人类的天花病已经绝迹，这也是牛对人类的伟大贡献。牛对人的奉献又何止这些。

我国人民自古以来就有爱牛的传统。相传汉宣帝时，宰相丙吉有一次出外视察，看到路旁有死人，他不过问，说自会有人处理；可是碰到有条牛在路旁喘气，他却下车问：天气是不是太热了，用牛是不是过度了？丙吉的举止虽然有些装腔作势，但他是顺应了人民群众爱护耕牛的心情的。我国历代诗人有许多咏牛的传世之作。如唐代诗人元稹的《田家词》，词中写道：“牛咤咤，田确确，旱块敲牛蹄趵趵”，是写牛在干旱田地上耕作的劳累，可是种出的粮食都被官府搜刮，官军还要“驱牛驾车食牛肉”。他们不但强迫用耕牛运粮，而且连牛也宰来吃了。农民呢，却只“归来收得牛两角”，这是多么残酷的剥削和压迫呵！

宋代诗人李纲《病牛》诗写道：

耕犁千亩实千箱，力尽筋疲谁复伤？
但得众生皆得饱，不辞羸病卧残阳。

写得颇为动情。李纲不仅是诗人，更是南宋时力主抗金的一代名相。他在被贬官时写下的这首诗，不仅咏牛，也以牛为喻，表达了作者只要对老百姓有利，不管付出多大牺牲也心甘情愿的可贵品德。

元代诗人宋无《老牛》诗也写道：

草绳穿鼻系柴扉，残喘无人问是非。
春雨一犁鞭不动，夕阳空送牧儿归。

牛为人类服役勤劳、难得休息，诗中就讴歌了老牛的这种一息尚存，勤劳耕作的精神。河南省有一首民谣也这样唱道：

青草地，细水流，一个老头儿去放牛。
他养牛，为耕地，大囤小囤满粮食，
一只牛，喂得饱，一顷地，耕得好，
一家吃饭都有了，老牛它不白吃草。

这是农民对牛的感恩心情的流露。因此农民莫不爱牛、尊牛，视牛为自己的第二生命。从前还有人为了提醒人们爱护牛,做了首牛歌,印在“善书”上广为散发，赞颂牛的舍己为人精神，其歌如下：

凡人听我说根由，世间最苦是耕牛；
春夏秋冬同用力，四时辛苦未曾休；
犁耙肩上千斤重，麻鞭百万肩上抽；
恶言恶语诸般骂，喝声快走敢停留?
田土坚硬耕不动，肚中无草泪双流；
指望早晨来放我，谁知耕到午时头；
饥饿吃口田中稻，顿遭主人骂“瘟牛”；
一年吃的都是草，种的田禾你自收；
籼米白米做饭吃，糯米做酒请亲友；
麦粟棉花诸般有，芝麻豆谷满园收；
娶媳嫁女做善事，无钱又想卖耕牛；
见我老来无气力，卖与屠行做菜牛；
捆缚就把咽喉割，剥皮剥肉有何仇?
眼泪汪汪说不出，破肚抽肠鲜血流；
剥我皮来作鼓打，惊天动地鬼神愁；
卖我之人穷得快，吃我之人结大仇。

这首牛歌如泣如诉，对牛寄予了深切的同情。牛对于人类确实是最忠诚的朋友，人们对于牛确实应该给予更多的爱护。

牛具有吃苦耐劳，不计报酬的特性，它始终都是脚踏实地，埋头苦干，走一步就是一步，从不投机取巧，这种艰苦劳作的精神，确实是了不起的。在历史上，许多读书人都与牛结下了缘分。相传春秋时代卫国人宁戚贫穷潦倒，没有钱到齐国去，后来他终于依靠搞长途贩运的商人的帮助，到了齐国的都城，当晚宿在郭门外，刚好齐桓公为迎接客人出至城郊，其时夜色朦胧城门大开，只见齐桓公坐着豪华的马车走出城门，前呼后拥随从众多，随从的火把将周围照得如同白日，好不威风。而宁戚正在不远处的车下喂牛，眼见齐桓公这般迎客的气派，不由悲喜交集，感慨万端：自己日夜盼望谒见的公侯终于见到了，他不由自主地拿起翻牛草的木棒敲着牛角唱道："南山矸兮，白石烂兮，生不逢尧舜之禅。短布单衣，偶而至肝。长夜漫漫，何时旦兮。"齐桓公听到了"牛角歌"后，颇为感动，于是派人把宁戚请了过来，和他相见。后来还重用了他。

再比如隋代李密从小好学，骑牛行走时，把《汉书》放在牛角上，一手拉着牛绳，一手翻书诵读。李密小时候"牛角挂书"苦读的故事也流传了下来。还有元朝末年的王冕出身牧童苦读而成才。王冕年幼时家中十分贫苦，无钱入学读书，只好在放牛时读诗学画，后来成为著名的诗人和画家。这些故事都是十分耐人寻味的。

牛

诗词·名句

三峡谣①

南北朝民歌

朝发黄牛②，暮宿黄牛。
三朝③三暮，黄牛如故④。

注释

①三峡谣：三峡，指长江中的瞿塘峡、巫峡、西陵峡，在重庆、湖北两省市交界处。
②黄牛：黄牛峡，在湖北省宜昌县西。
③朝：早晨。
④如故：和原来一样。

解说

早晨从黄牛脚下出发，晚上睡在黄牛脚下。三个早晨，三个晚上，黄牛看上去还一样大。

牧童词

唐·李涉

朝牧牛，牧牛下江曲[①]；夜牧牛，牧牛度村谷。
荷蓑出林春雨细，芦管[②]卧吹莎草[③]绿。
乱插蓬蒿箭满腰，不怕猛虎欺黄犊。

注释

① 江曲：江水的弯曲处。
② 芦管：用芦苇秆做成的可以吹奏的乐器。
③ 莎（suō）草：多生于潮湿地区或河边沙地的草本植物。

作者简介

李涉（生卒年不详），唐代诗人。号清溪子，洛阳（今属河南）人。

解说

早晨，放牛娃把牛赶到大江边；夜晚，他又把牛赶到村野和山谷里。他披着蓑衣，冒着细雨走出树林，趴在绿草地上吹响芦管。他把蓬蒿乱插在腰里，当它们是箭，这样就不怕凶狠的老虎跑来欺负小黄牛。

我是一头牛

潘方尔水墨漫画

焉得铸甲作农器，
一寸荒田牛得耕。

——唐·杜甫《蚕谷行》

大田耕尽却耕山，
黄牛从此何时闲。

——宋·杨万里《观小儿戏打春牛》

水落陂塘秋日薄，
仰眠牛背看青天。

——宋·贺铸《茅塘马上》

日出东篱黄雀惊，
雪销春动草芽生。
土坡平慢陂田阔，
横载童儿带犊行。

——宋·欧阳修《牛》

牛 成语

鞭打快牛

比喻赏罚不明，使肯干的人负荷更大。

对牛弹琴

古时，公明仪善于弹琴。一次，他对牛弹了一个曲子，牛仍然伏着吃草。不是牛没有听见，是牛听不懂曲子。（见梁僧祐《弘明集·理惑论》）后用“对牛弹琴”比喻对不懂道理的人讲道理。也用以讥笑听话人的愚笨，或讥笑说话人不看准对象。

汗牛充栋

指书籍搬运时让牛累得满身大汗，又指书籍一直堆到房顶。形容藏书极丰富。

汗牛：因搬运书册而导致牛出汗。汗在这里作动词解。

栋：栋梁。指屋顶。

九牛一毛

从许多牛身上拔下的一根毛。比喻微不足道。

泥牛入海

泥做的牛落入海中。比喻一去不复返。

牛刀小试

宰牛用的刀稍稍试了一下锋芒。比喻才能大的人在小处稍显身手。

小试：稍稍用一下。

牛鼎烹鸡

《后汉书·边让传》引用过这样一段话：用煮牛的大鼎来煮小鸡，如果汤水多了，那就淡而无味，没啥好吃的。如果汁水少了，那么容易熬干而鸡又不熟。后用“牛鼎烹鸡”比喻大材小用，本来就不合适。

牛鼎：盛牛之鼎，古代能烹煮全牛的器物，多为三足两耳。

吴牛喘月

南方天气炎热，水牛耕作怕热，看见了月亮还以为是太阳，因此大喘粗气。（据《太平御览》卷四引《风俗通》）后用“吴牛喘月”比喻吃过某事物的苦头后，遇见类似事物就胆怯。

吴牛：江南一带的水牛。

牛 俗语

按牛头吃不得草

硬按住牛的头，牛不会吃草。比喻难以强迫或勉强人去做他不愿意做的事。

掉在枯井里的水牛，有劲没处使

水牛掉在没有水的井里，爬不上来，有力气也用不出。比喻人即使有才能有本领，如果缺少必要的条件，也无法发挥。

费了九牛二虎之力

花费了九头牛加上两只老虎的力气。形容做一件事情用上了最大的精力、花了最大的力气。

黄牛过河各顾各

比喻各人都只顾及自己，不管别人怎样。

马鞍装在牛背上

把马鞍子装在牛的背上。比喻事情做错。

牛不知角弯，马不知脸长

比喻人无自知之明，不知自身的不足之处。

牛犊子追兔子，有劲使不上

指做不擅长的事，有力气也用不上。

牧童与牛

赵澄襄剪纸

牛口里的草，扯不出来

比喻得不到一句实话，也指事情办不到。

牛皮灯笼肚里亮

用牛皮做的灯笼，外面无亮光、里头亮。比喻心里明白。

牛套马，累死俩

把牛同马套在一部车上拉车，指一慢一快难以配合。比喻不能配合的两人同做一件事，彼此都感到吃力。

牛头不对马嘴

比喻胡拉乱扯，两者根本不相关。

贪贱买老牛

贪图省钱，买了条老牛，却不能干活。比喻只图眼前的便宜，不顾长远的利益。

贱：价钱便宜。

喂牛得犁，喂马得骑

养牛可以帮助耕田，养马可以骑着跑。比喻各有各的收获。

学者如牛毛，成者如麟角

学的人多得像牛毛，但是能真正学得有成就的人却少得像麟角。说明人要有所成就是极不容易的。

牛毛：牛身上的毛，形容极多的东西。

麟角：麒麟的角，形容极为稀少珍贵的东西。

一朵鲜花插在牛屎上

比喻一个如花似玉的姑娘嫁给一个很糟糕的男人。

钻牛角尖

比喻花费很大精力去研究不值得研究的问题或无法解决的问题。

钻：读 zuān，不读 zuàn。

牛 典故

丙吉问牛

汉朝的丞相丙吉，一次外出时，正好碰上有人赶着牛，牛喘着粗气吐出舌头。丙吉便问那人，牛走了多少路，怎么会累成这样？丞相的随从说：牛喘是件小事，丞相你就不必问了。丙吉却说：现在只是春天，天气还不是太热，牛又没有走得很远，却像大热天那样喘气。这说明季节失常，恐怕将对农业不利。我作为丞相，当然要过问。（见《汉书·丙吉传》）后用"丙吉问牛"指关心民间疾苦。

留犊

三国时魏国的时苗去做县令的时候，坐着母牛拉的车子。过了一年多，母牛生下一头小牛。等到时苗离任时，他把牛犊留下，并对他的下属官员说："我来的时候，本来就没有这头小牛，它是在这儿出生的，应当归这儿所有。"（见《三国志·魏书·常林传》裴松之注）后用"留犊"比喻做官清正廉洁。

犊：小牛。

卖剑买牛

西汉宣帝时，渤海地方闹饥荒，当地人多拿刀持剑为盗。龚遂出征渤海太守后，看到当地风气不好，百姓不喜欢参加农业生产。于是他亲自耕作，带头节约，鼓励百姓发展农桑事业。劝说百姓卖掉刀剑，买进牛犊。（见《汉书·龚遂传》）后用"卖剑买牛""卖刀买犊"喻指改业归农，注重发展农业生产。

目无全牛

战国时有个善于宰牛的厨师，名叫庖丁。一次他替魏国的梁惠王宰牛。他手拿着刀，轻快地宰割，每个动作都有节奏似的，像舞蹈一般。惠王非常赞赏他的熟练技术，问他：你的技术如何能达到如此精湛的程度呢？庖丁回答：我初学宰牛时，眼睛所看见的是整个一头全牛，三年以后，所见到的不是整牛了，而是肌肉和筋骨的组合。只要顺着肌肉和筋骨空隙的地方进刀，就很方便地把牛解开了。（见《庄子 · 养生主》）后用“目无全牛”形容技巧高明纯熟。

孺子牛

春秋时齐景公非常喜欢自己的小儿子荼。曾与他一起游戏。自己扮成一头牛，嘴里衔着绳子，叫儿子牵着走，可巧儿子跌倒，景公的牙齿也被拉断了。景公临死前，遗命立荼为国君。可是大臣陈僖子却要拥立公子阳生为国君。鲍牧对僖子说：你忘记了景公做孺子牛折断牙齿的事情了吗？难道可以违背景公的意愿吗？（见《左传 · 哀公六年》）后用“孺子牛”比喻甘愿为众人服务的人。

孺子：小孩子。

问牛知马

西汉的大臣赵广汉精明强干，遇到事情善于盘问，以便把事情真象弄明白。就比如要想知道马的价钱，就先问狗的价钱；已经问清了羊的价钱，再去问牛的，最后才问到马。把各种动物价钱互相比较验证，才确定马的价钱贵贱，比较符合实际。（见《汉书·赵广汉传》）后用“问牛知马”比喻从旁推究寻得真相。

蹊田夺牛

春秋时，陈国的夏征舒杀死了国君，楚国乘机出兵灭了陈国，处死了夏征舒。申叔时劝楚王说：夏征舒叛乱，你出兵讨伐，并处死了他，确实做得不错。但现在你灭了陈国，就好像牛践踏了人

十二生肖：牛

徐悲鸿

家的田地，田主便把牛抢去，这太过分了。楚庄王采纳了申叔时的意见，恢复了陈国。（见《左传·宣公十一年》）后用“蹊田夺牛”比喻轻罪重罚。

蹊：践踏。

牛 风俗

打春牛

汉族岁时旧俗。流行于全国许多地区。“春牛”，用桑木作骨架，冬至节后辰日取土塑成。身高4尺，长8尺，画四时八节365日12时辰图纹。立春前一日，人们到先农坛奉祀，然后用彩鞭鞭打，把“春牛”赶回县府，在大堂设酒果供奉，男女老少牵“牛”扶“犁”，唱栽秧歌，祈求丰年。

牦牛驮运

藏族民间交通运输风俗。流行于青藏高原。牦牛体壮耐劳，常用于驮运货物，有“高原之舟”之称。每头牛可驮100千克左右，长途驮运每头负重50余千克。每次由数十或上百头牦牛组成的牛帮队而行，一般可行5—7日。通常到农区以毛皮、畜产品、湖盐等交换粮食，然后除留几头牛做返回脚力外，绝大部分卖掉。

牛神节

仡佬族传统节日。流行于贵州西部。每年农历十月初一举行。这一天，各户杀鸡买肉，做粑粑，备米酒，给牛“做寿”，酬谢耕牛终岁辛劳。相传这天是牛的生日，所以让牛休息一天，喂最好的饲料。有的地区还给牛披红挂彩，放鞭炮，以示祝贺。

牛王节

苗族传统节日。流行于贵州

黔南布依族苗族自治州。每年农历十月初一举行。这一天，家家杀鸡，打粑粑。并备烧纸、香、酒、鸡肉等，在牛棚边祭牛王。这天让牛休息。清早用粑粑或糯米饭拌饲料喂牛，并将两块粑粑挂在牛角上，用酒抹牛的鼻子，以示慰劳。

赛牛会

蒙古族传统娱乐活动。流行于内蒙古呼伦贝尔草原。丰收之年的农历八月，各族牧民在约定的时间赶着精选出来的牛，到指定地点参加赛牛大会。分别比赛角逐、挽力、膘情、毛色、品种或产奶量。由大会评委会裁判、评选，给优胜的牛披红戴花，主人在众人的赞美声中载誉而归。

寻牛节

畲族民间节日。流行于福建部分地区。农历四月初八举行。民间相传此日为水牛生日。这天，人们成群结队，攀上福安县的牛池坪，沿石岩上留下的脚印寻牛，在池边盘歌，还采一些“六月雪”草带回家治疮防病。

牛 格言

初生之犊不惧虎

——《三国演义》

出生不久的小牛，是不怕老虎的。喻指年轻人胆大气壮，什么都不怕。

惧：害怕。

宁为鸡口，无为牛后

——《战国策·韩策一》

宁愿做鸡的嘴巴，不愿做牛的肛门。比喻宁可在小范围内独立自主，不愿在大范围内跟在别人后面受支配。

无为：不要做。

悬牛首于门而卖马肉于内

——春秋·晏婴《晏子春秋·内篇杂下》

店门口挂着牛头，店里面卖的却是马肉。比喻表里不一，名不副实。

牛 神话

阪泉之战

——《列子·黄帝篇》

中国神话传说中黄帝与炎帝在阪泉（今河北）的一场战争。炎帝是南方的天帝，要同位居中央的天帝黄帝争夺帝位。炎帝用火攻，黄帝用水克火，挡住炎帝的猛攻。炎帝调南方诸侯前来助战，黄帝率领四方的熊、罴、豹、虎回击。经过几番恶战，黄帝大胜，保住了中央天帝的宝座。

赣潭金牛

——《太平御览》卷六六引《南康记》

江西赣县附近有个赣潭，深不可测。夜晚有个白衣老翁在潭边钓鱼，唱着“渔父歌”，慷慨激昂。忽听水波震荡，潭中冒出一头小牛，牛角上带着金锁，踏波而舞。老翁钓得金链出水，几十丈，链断金牛沉入潭中。钓得的金链全化为珍宝。

后稷

——《史记·周本纪》

中国神话中周族的祖先。母亲姜嫄是帝喾元妃，她看见一串巨人的脚印，很好奇，就踩着这脚印向前。不久怀孕，生下后稷。姜嫄把他丢弃在隘巷，但过路的马牛小心地从他身边绕过，一点没有践踏他；又把他扔进山林里，山林中的人担心他收到野兽伤害，就把他挪出来；又把他丢弃在结冰的河面之上，却有鸟儿来护卫，用翅膀来为他取暖。姜嫄觉得很神异，又把他抱回家抚养。因曾被弃，给他取名“弃”。弃年幼时，就用农作物的种子作游戏，长大后他教农人按照时令、土质种庄稼。虞舜时为农官，被尊称为“后稷”。

牛 寓言

吹牛

——陆灼《艾子后语》

有个道士喜欢吹牛。艾子有次问他：“您多大岁数？”他说：“连我也记不清了，只记得小时候到伏羲氏家去玩过。女娲氏时天斜地塌，我却平平安安。神农氏种的庄稼，我不爱吃，后来西王母请我喝酒，我喝醉了，一直到现在还没完全醒过来，不知道现在世上是什么年月了。”不久，赵国君主受了伤，医生说一定要用千年的血做成血粉搽才会好。赵王就派人到处找千年的血，但找不到。艾子就告诉赵王那个道士至少活了几千岁了。于是赵王把道士捉了来。这时道士哭着说：“昨天我父母刚过五十岁，我喝醉酒后胡吹一通，请大王饶命！”赵王把他训了一顿，才放走他。

◇喜欢吹牛的人，最终会害了自己。

借牛

——浮白斋主人《笑林》

有人给一个富翁送去一封信，要求借牛。这时富翁正在会客，他怕客人晓得他不识字，就假装拆信看，然后对送信人说：“知道了，等一会儿，我亲自来一趟。”

◇不懂装懂，往往会闹笑话。

牛

潘方尔肖形印

外国动物故事

金角牛神的传说

［日本］

日本中部有一个村庄，四周被群山和稻田环绕，村民们世代以耕种为生。村庄的中心有一座古老的神社，神社内供奉着一尊铜牛雕像，它头上镀着金角，象征力量与丰收。传说这尊牛神名为“金角”，每当村庄面临困境时，它便会现身，帮助村民渡过难关。

有一年，连续的干旱降临了这个村庄，河水干涸，稻田龟裂，村民们愁眉苦脸。再这样下去，不仅粮食颗粒无收，就连饮用水也将耗尽。年迈的村长带着村民们来到神社，祈求金角牛神的庇佑。村长叹息道：“金角牛神啊，若您真是我们村的守护者，请快快显灵，帮助我们渡过这次劫难。”众人随声祈祷，眼中充满了期待与担忧。

就在这时，神社内的铜牛雕像微微发光，金色的角泛起温暖的光辉。一个深沉的声音传入村民耳中：“村民们，你们的呼唤我已听到。但我需要一位勇敢的灵魂来帮助我唤醒大地的水脉。”

村中年轻的农夫健太站了出来，他的祖辈曾是神社的守护者。他从小听着金角牛神的故事长大。此时，他挺身而出，大声说道：“金角牛神，请让我成为您的助手，我愿为村庄尽一份力。”

光辉笼罩着健太，铜牛雕像前，金角的牛神幻化而出，体形庞大，肌肉结实，金色的牛角在夜色中闪闪发光。牛神低下头，用慈爱的目光注视着健太："你将跟随我前往山中寻找被封印的水源，但过程很凶险，你可愿意？"

健太坚定地点了点头："我愿意，无论多么困难。"

于是，金角牛神带着健太穿过密林和险峻的山崖，途经荆棘丛生的小径和野兽出没的峡谷。每当健太体力不支时，金角牛神便会低声鼓励他："勇气和信念是打开自然之门的钥匙。"

经过漫长的跋涉，他们来到一片岩壁前，岩壁上有一幅古老的浮雕，描绘着村庄的历史与稻田中的丰收景象。牛神的金角闪烁，光芒照在浮雕上，岩壁微微震动，露出一条隐秘的水道。

"这里便是水源所在，"金角牛神说道，"但要让水流入村庄，需要人类的信念。"健太跪下，双手合十，闭上眼睛，心中默念着村民们的愿望和祈求。片刻后，水道内响起轰鸣之声，清澈的水流奔涌而出，穿过山间小溪，向村庄流去。

天际泛起了晨曦，健太与牛神返回村庄时，村民们已被潺潺水声惊醒。看到久违的水流灌溉着田地，村民们流下了感激的泪水，村长颤抖着对健太和牛神鞠躬道："感谢你们，村庄的英雄！"

从此以后，村庄恢复了生机，每年祭祀之时，村民们都会讲述金角牛神与健太的故事，传递着勇气、信念和守护家园的决心。

邓明书法　潘方尔水墨漫画（局部）

虎

hǔ

虎

《辞海》中的释义

1. 动物名。哺乳纲，食肉目，猫科。
2. 比喻威武勇猛。见“虎臣”“虎将”。
3. （Hǔ）姓。汉代有虎旗。

组词

虎拜 / 虎榜 / 虎贲 / 虎变 / 虎步 / 虎臣 / 虎虎 / 虎将 / 虎节 / 虎踞龙盘

暴虎冯河 / 调虎离山 / 风虎云龙 / 狐假虎威 / 画虎类狗 / 龙虎榜 / 龙盘虎踞 / 龙骧虎步 / 龙骧虎视 / 龙行虎步

艾虎 / 白虎 / 帝虎 / 伏虎 / 虎虎 / 金虎 / 苛政猛于虎 / 龙虎 / 鲁鱼帝虎 / 貔虎

寅虎

邓明书法

寅虎是十二生肖中“虎”的全称，古人认为寅时老虎最凶猛，而列为地支的第三位。虎为百兽之王,《山海经》称其为“开明兽”。《庄子》称虎神为“肩吾”。《周易》有“云从龙，风从虎”的记载，进而有成语“虎啸龙吟”。元代林坤《诚斋杂记》里，还有虎不食孝子的故事。其作为生肖的象征意义，在于热情勇敢、勇于冒险、威风八面。

Tiger

虎

郑辛遥简笔画

虎与虎文化

我国文学作品中有许多关于虎的生动描写，《水浒传》中“武松打虎”的故事，更是人们所熟悉的。清末刘鹗《老残游记》中写虎一“窜”，一“探”，一“缩”，活灵活现；三声虎啸，树动叶落，冷气逼人，更是惊心动魄，其凶猛之态跃然纸上。虎属猫科哺乳动物，是大型食肉猛兽，被人们称为“百兽之王”，是一种珍贵动物。我国有 3 个种类的虎，即东北虎、华南虎和南亚虎。

东北虎是现存虎种中体形最大的一种。它体魄雄健，条纹美丽。由于生活在较寒冷的地区，有着一身长而厚密的橙黄色或金黄色带黑条纹的毛。老虎虽然是凶猛残暴的动物，但形体壮美，是世界上著名的观赏动物。在动物园里看过老虎的人，都有这种感觉：当你逼近笼栅看它时，它镇定自若，旁若无人，那种沉静威严、无畏无惧的气概，为别的动物所没有。

东北虎在我国，现仅分布在小兴安岭、完达山和长白山脉海拔 400 ～ 1300 米的高山灌木林和高原中。虎喜欢在傍晚和黎明活动，主要食物是野猪、鹿、狍子等。所以，凡是有虎的地方，都有较多的食草动物。虎的捕食方法是很有趣的，它虽然不会爬树，但它常利用自己发达的嗅觉和听觉，静静地潜伏在草木丛中，等食草动物走近时，便骤然跃起，雷霆闪电般猛扑过去，用利爪抓住猎物，用尖刀般的牙齿咬断猎物的颈椎骨和喉咙，然后便开始它的美餐。

中国成语中有不少是与虎有关的。如“谈虎色变”，可见人对虎的畏惧。形容笑脸常开、心怀不轨而又狠毒的人为“笑面虎”。形容贪婪地寻找机会为“虎视眈眈”。比喻死里逃生为“虎口余生”。比喻要深入实际才能取得第一手材料称为“不入虎穴，焉得虎子”。形容放走威胁自身安全的人，留下祸根为“放虎归山”。形容助长势力称之“如虎添翼”。而“养虎贻患”的成语，更能体现虎的凶残一面。它出自这样一段典故：

> 从前有一个老和尚，住在太行山。一天老和尚在溪谷水边慢行时，遇到了一只跛足的小虎。听到小虎凄楚的哀鸣，老和尚动了恻隐之心，便大发慈悲地把这只跛足受伤的小虎抱回家，精心调理，好生养护。从此，小虎也跟着这位老和尚吃喝成长。光阴似箭，随着岁月的流逝，小虎已长成大虎了，而它依然像小时候一样，步步跟随着老和尚，连上街也不例外。这只 7 尺长大的虎并不伤犯人兽，只是像只家狗似的随着老和尚。有一天饭后，老和尚例行散步，不小心跌破了脚，鲜血淋漓，这只平常吃惯了素食的老虎，一闻到血腥味，不禁兽心大发，吞食了老和尚，然后窜进深山之中。从此太行山便成了恶虎盘踞之所，过往的行人屡有遭害。这就是成语“养虎贻患”的由来。

号称“百兽之王”的虎，千百年来，人们给它起了不少有趣的别名，其中之一便是“封使君”。老虎怎么会有这样一个古怪的名字呢？

据古籍《太平御览·述异记》记载，在汉朝的时候，宣城太守有一天忽然变成了老虎吃人了，当时的人说“千万别作封使君，生不治民死食民”。人变成虎，自然是不可能的，这则离奇的故事反映了人民对贪官污吏的憎恨。后来，人们在诗文中，就以“封使君”作为虎的代称。此外，老虎还有其他一些代称，如山君、於菟、李耳、寅客、斑子、大虫等，尤以“大虫”一名流传最广。一说到“虫”，我们总认为就是指那些昆虫和类昆虫的小动物。老虎这么庞大凶猛，怎么会称它为“虫”呢？其实，古时候，“虫”曾经是动物的通名。古书《大戴礼》中说：“毛虫之精者曰麟，羽虫之精者曰凤，介虫之精者曰龟，鳞虫之精者曰龙……”大虫，就是老虎的代称。当然除此之外，人们还把蛇叫作长虫，把鼠叫作老虫。

虎在我国传统文化里，常被用作勇猛有生气的象征，古人还常用“虎臣”“虎将”来称呼勇猛、威武的将官。在《三国演义》中，东吴孙权想让关羽的女儿嫁给他的儿子。关羽说道：“虎女焉能嫁犬子？”断然拒绝了这桩婚事。老虎的闺女岂能嫁给狗的儿子，显然充满了对孙权的鄙视，而又以“虎”自居。唐代大诗人李白也有“战舰森森罗虎士”“虎将如雷霆”等诗句，推而广之，调兵的信物叫“虎符”，将军的营幕叫“虎帐”，威武的步伐叫“虎步”，勇猛的气概叫“虎威”。武器有“虎蹲弩”“虎蹲炮”。军帽有“虎冠”“虎头帽”。险夷之处称“虎穴”，雄伟之地叫“虎踞”……总之，虎是勇猛、雄健的象征，有威震山谷的威风，所向披靡的气势。

以虎为题材的民间用品，在我国相当普遍。给孩子们用的以虎为造型的虎枕、虎鞋，以虎形象作装饰的虎头帽、虎围嘴、虎肚兜、虎衣，还有以虎为造型的布老虎、泥老虎、木老虎等玩具；在端午节和春节时贴有以虎为形象的“镇宅”或“保吉除邪”的门画；嫁女时，在放嫁妆的箱子上，摆有守护箱子的《喜虎》剪纸;老太太们上庙进香时，背的香袋上绣有虎的形象；以及用虎头形木雕，配上镜子，置于居室正前方屋檐子的门顶或窗顶上，作为驱邪之物……

根据专家们考证，在远古时期，我国西部原始部族和后世民族向东迁徙，并与东方和南方的部族相互融合，形成了龙虎文化的并存与融合，当出现全国性的统一政权后，龙虎文化便普及全国各地。虎被作为神灵崇拜，经数千年社会意识的变化，信仰因素逐渐淡化，成为民间的吉祥物和辟邪祛灾的象征。在我国陕西省的一些地区，因所处的地理条件、历史和古代民族、社会观念等，虎文化比各地更加显著。虎的艺术造型，几乎贯穿人生的全过程，从婴儿出生到童年，少年、青年，一直到去世，在衣着、食品、住室的装饰，都有虎的艺术相伴。同时，也贯串于全年的岁时节日和民间的礼仪习俗，以及人际活动中，其中尤其是一种俗称“花花馍”的礼馍，最为突出。这种礼馍的造型以白色为主，繁而不乱，浑然一体而又艺术气质浓郁，质朴而又内涵丰富，引人入胜。虎头、龙身，是古代虎龙文化并存与相互融合的实证。可称为虎文化的现代表现。

虎，已经成为我们民族文化中的一个象征，它的强悍、勇猛、威武，可以压邪，所以人们把它视为抵挡灾难和不幸的佑护神。还因为它的虎虎生气，人们总是把虎文化的象征物视为与孩子作伴，保护孩子长大成人，永远生气勃勃的吉祥物。还把虎视为勇敢进取、奋发向上，生命力旺盛的化身，所以在许多场合又用虎的形象作装饰。总之，虎文化是中国民俗文化中不可或缺的组成部分之一。

虎 诗词·名句

塞下曲六首·其二

唐·卢纶

林暗草惊风，将军夜引①弓。
平明寻白羽，没②在石棱③中。

注释

① 引：拉。
② 没：陷入。
③ 石棱：石头上凸出来的地方。

作者简介

卢纶（约742—约799），唐代诗人。字允言，河中蒲（今山西永济西南）人。

解说

夜晚，树林中黑漆漆的。突然一阵疾风吹过，野草哗哗摇动起来。正在打猎的李广将军吓了一跳：不好，有老虎！他立即拉弓放箭。翌日清晨，将军搜寻猎物时发现中箭者并非猛虎，而是石头。箭深深地扎在石棱里，谁也拔不出来！

猛虎行

唐·张籍

南山北山树冥冥，猛虎白日绕村行。
向[①]晚一身当道食，山中麋鹿尽无声。
年年养子在深谷，雌雄上下不相逐。
谷中近窟有山村，长向村家取黄犊。
五陵年少[②]不敢射，空[③]来林下看行迹。

注释

① 向：朝向，渐近。
② 五陵年少：泛指豪侠少年。五陵，指汉代五个皇帝的陵墓，代指富豪子弟居住的长安。
③ 空：空对，形容面对老虎束手无策的样子。

作者简介

张籍（约767—约830），唐代诗人。字文昌，吴郡（治今江苏苏州）人。

解说

这是一首以乐府体写的寓言诗，描写猛虎危害村民的情景。当然也可以看成影射社会上某些恶势力的猖獗，启示人们认识现实。

猛虎潜深山，长啸自生风。
人谓客行乐，客行苦心伤。

——南朝宋·谢惠连《猛虎行·二》

猛虎不看几上肉，
洪炉不铸囊中锥。

——唐·李白《笑歌行》

长林绝壑望不到，
时有樵归说逢虎。

——宋·范成大《次温伯用林公正、刘庆充倡和韵》

猛虎虽云恶，亦各有匹侪。

——唐·韩愈《相和歌辞·猛虎行》

自去射虎得虎归，
官差射虎得虎迟。

——唐·王建《射虎行》

心如山上虎，身若仓中鼠。

——唐·曹邺《东武吟》

我是虎大王

潘方尔水墨漫画

虎成语

虎视眈眈

像老虎觅食那样凶狠地注视着。形容心怀不良，正伺机夺取或侵害。

与虎谋皮

跟老虎商量，要剥下它的皮。比喻要坏人放弃他的利益，一定办不到。

照猫画虎

照猫的样子去画老虎。比喻只知机械地模仿，而不去理解其真正意义。

纵虎归山

放走老虎，让它回到山林中去。比喻放纵坏人，种下祸根。

虎俗语

伴君如伴虎

侍奉君王如同和老虎做伴，随时都会有杀身之祸。形容君王喜怒无常，专横暴虐。

出得龙潭，又入虎穴

比喻脱离了一处险境，又陷入另一险境。

龙潭：龙藏身的水池。

虎穴：虎藏身的岩洞。

打狗要用擒虎力

打一只狗，应当用出打老虎的力气来。比喻做一件小事也要舍得用大力气，才能有成功的把握。

独虎不敌群狼

老虎虽然比狼凶猛，但是一只老虎却敌不过许多狼。比喻有本领的人如果陷于孤立的境地，也可能敌不过许多本领不如他的人。

二虎相斗，必有一伤

比喻双方争斗，总有一方要受到损伤。劝诫人不要相争斗，以免受损失。

缚虎则易，纵虎则难

捉住老虎还容易，放出老虎就难以控制，因为老虎一放出笼子，就要吃人。比喻对凶恶厉害的对手放松不得。

虎口换珍珠

比喻东西经过艰险曲折的过程才得到，十分珍贵难得。

虎毒不食儿

老虎虽然凶残，但不吃自己的崽子。比喻坏人也疼爱子女。

毒：毒辣，凶猛。

食：吃。

儿：指老虎自己的崽子。

虎瘦雄心在

比喻有远大抱负理想的人，虽然暂时处于困境，但志气节操不会改变。

虎落平阳被犬欺

老虎离开森林来到平地，连狗也会欺侮它。比喻失势的英雄往往会受小人的气。

平阳：平川，平地。

虎生三子，必有一彪

比喻在兄弟之中出了一个杰出的人。

彪：小老虎，这里指有文采。

虎不怕山高，鱼不怕水深

老虎不害怕高山，鱼儿不害怕深水。借指人应该不畏困难。

画虎不成反类狗

本来想画只老虎，不想老虎

没画成功，反倒画得像条狗。比喻没有把别人长处学到手，反而不伦不类，弄巧成拙。

类：像。

画龙画虎难画骨，知人知面不知心

描画龙虎的外表还容易，难的是要画出龙虎的内在气质；要想了解人的外表不难，要想了解人的内心却很不容易。

将门出虎子

世代为将帅的人家一定能够培养出勇猛不凡的后代来。

老虎嘴里拔牙

在老虎口中拔牙，既危险又困难。比喻冒极大的风险触犯强者。

老虎头上拍苍蝇

比喻触犯了强者或权势大的人，又比喻做事大胆或冒风险。

老虎头上挂佛珠

比喻坏人伪装成好人或假发慈悲。

佛珠：即念珠，佛教徒戴在颈上诵经时用来计算次数的成串珠子。

老虎屁股摸不得

比喻人骄傲自满或蛮横跋扈，别人碰不得。

老虎吃天，没法下嘴

老虎想要把天吃下，可是无法下口。比喻野心太大，或事情很难办，没有办法下手。

老虎也有打盹儿的时候

比喻本事再大的人也有防范不严密或疏忽的时候。

打盹儿：打瞌睡。

明知山有虎，偏向虎山行

比喻明明知道有危险，却偏偏要冒险去干。

虎年大吉

赵澄襄剪纸

怕狼怕虎别在山上住

山上是虎狼出没的地方。比喻既然怕这怕那就干脆别干事。

人无害虎心，虎有伤人意

人虽然没有伤害老虎的心思，老虎却总是要伤人的。比喻好人是一肚子菩萨心肠，恶人却总想干伤天害理的勾当。指对坏人必须严加防范，不能放松警惕。

入山擒虎易，叉手告人难

指开口向人求助，比上山捉虎还难。

擒：捉拿。

叉手：两手在胸前相握表示恭敬。

往虎口里探头

往老虎嘴里伸头，比喻冒险。

探：伸。

养病如养虎

有病不尽早治疗，就像养了一头老虎一样后患无穷。指有病要早治，不可拖延。

养病：这里指有病不医，不是指恢复身体的过程。

一林不两虎

一片树林不能同时让两只猛虎待在一起。比喻两雄不能并立。亦称“一山不容二虎”。

一个山头一只虎

比喻一个地方总有一个权势最大的人物。

纸老虎吓不得人

比喻以假充真或貌似吓人，实际没有用。

虎典故

刺虎

春秋时，有两只老虎争食人而相斗，管庄子将要刺杀它们，管与劝阻他说：老虎是残暴的动物，两虎相争，身小力弱的必死，身大力强的必伤。等到老虎受伤了你再刺杀，那么可以一举而得到两只老虎。（见《战国策·秦策二》）后用“刺虎”比喻一举两得。

渡虎

相传东汉时九江郡内有许多老虎，经常伤害百姓，虽然常设陷阱捕捉，也没有用。宋均出任太守后，说老虎为害百姓，责任完全在贪钱的官吏身上。他一方面斥退奸吏，选进忠良官员，一方面免除捕虎的各种杂税。后来老虎害怕被捕捉，奔逃渡江东去。（见《后汉书·宋均传》）后用“渡虎”称颂地方官政绩卓著消除灾难。

负子渡河

背着小老虎渡过了河。东汉光武帝时刘昆作弘农太守，传说崤黾一带传递信件的驿道因为老虎太多，人不敢通行。刘昆执政三年，施行教化，政绩显著，连老虎都背着小老虎渡河离去。（见《后汉书·刘昆传》）后用“负子渡河”比喻官吏政绩优异。

虎而冠

老虎穿戴人的衣帽。西汉初，太尉周勃、丞相陈平诛杀吕禄、吕产。平定叛乱后，各位大臣纷纷议论想拥立齐王做皇帝，而琅邪王刘泽和大臣们说：齐王的舅父驷钧为人凶恶暴戾，如虎而冠。所以齐王不能做皇帝。（见《史记·齐悼惠王世家》）后用“虎而冠”比喻凶残的人。

虎皮羊质

外表是虎，实际是羊。羊身上虽然披上一张老虎皮，但怯弱的本质未改变。它仍然是看到青草很高兴，看到豺狼就全身战栗。（见《法言·吾子》）后用“虎皮羊质”“羊质虎皮”表示外强中干，徒有外表而无实际本事。

虎兕出柙

春秋时孔子的学生冉有和子路帮助季氏理政。一次，他们告诉孔子，季氏将要攻伐鲁国的附属国颛臾。孔子十分反对，并用比喻的方法批评他们：老虎和犀牛从栅栏里逃出来，这是谁的罪过呢？意思是说这是看守人的责任。（见《论语·季氏》）后用“虎兕出柙”比喻官吏的失职。

兕：犀牛。

柙：围猛兽的栅栏。

虎 风俗

穿虎头鞋

汉族民间育儿旧俗。流行于全国各地。一种希望小孩健康的活动。鞋用黄布制成。鞋头绣一虎头，因虎是“百兽之王”，故虎头中间绣一“王”字。通常在小儿满周岁或生日时穿新做的虎头鞋。民间认为，这样可为小孩壮胆、避邪。也有祝愿小孩长命百岁之意。

挂老虎馍

汉族婚姻风俗。流行于陕西华县。迎亲前，男方的舅舅家蒸一对老虎馍（馒头），用红头绳拴在一起，新娘一到，就把老虎馍挂在她的脖子上，进门后取下，由新郎新娘分吃，表示两人同欢。公老虎馍额上印一“王”字；母老虎馍额上印一对飞鸟。老虎脖

十二生肖：虎

徐悲鸿

子前还有一只小老虎，意为祝愿新人早得贵子。

审老虎

毛南族狩猎旧俗。流行于广西环江毛南族自治县等地。猎得老虎后，先由老猎人主持审虎仪式。仪前由一人扮作“虎魂”，陪卧死虎旁。老猎人审问虎为何作恶，众人陪审，老猎人与虎魂即兴对答。直审得虎魂哑口无言。对空放三枪后，青年猎手持刀上前，扮虎魂的人立即甩掉面具、虎皮、头巾，回到人群。于是将虎开膛破肚，取虎胆冲酒，敬主持审虎的老猎人和打中第一枪的首功者，然后众人传饮，随即生火煮肉，全村欢宴，唱歌庆贺。

送布老虎

汉族民间育儿风俗。流行于陕西西府（泛指陕西省西部）等地。娃娃做满月这天，舅家要送去用黄布做的老虎一只。进大门，须将老虎尾巴折断一节丢在门外。送布老虎是祝愿娃娃长大后能像老虎那样剽悍有力；折断虎尾，则是希望娃娃在成长过程中免灾免难。

送老虎枕头

汉族民间育儿风俗，流行于山西各地。因枕头外形像老虎形状而得名。当地民间每遇小孩过生日时，当舅舅的要送给外甥一只或一对老虎枕头，表示祝福，既可当枕头，又可当玩具。

子孙老虎

亦称“老虎柏子花”。古代汉族岁时装饰品。流行于浙江地区。每逢除夕，各花铺以柏叶点铜绿并剪彩绒为虎形，扎成小朵，称为“老虎花”；有旁边缀上小虎的，叫“子孙老虎”；或剪成人物为“寿星”“和合”“招财进宝”“麒麟送子”之类，称为“柏子花”。

虎 格言

不入虎穴，不得虎子

——《后汉书・班超传》

不进入老虎的窠穴，就抓不到虎仔。比喻不敢冒一定风险，就不能取得重大的成就。

但教方寸无诸恶，狼虎丛中也立身

——五代・冯道《偶作》

只要心灵高洁，即使在险恶污浊的环境中也能够站住脚。

方寸：心灵。

狼虎丛中：比喻险恶污浊之地。

饥不从猛虎食，暮不从野雀栖

——北宋・郭茂倩《乐府诗集》

宁可受饥饿，也决不和凶恶的老虎一起去猎食；即使黑夜降临，也决不和野雀栖息在一起。这是表明气节的话。

猛虎不怯敌，烈士无虚言

——唐・李咸用《猛虎行》

猛虎与对手搏斗，从来是不胆怯后退的；志士立下誓言，是不会落空的，他一定用行动来落实。

虎 神话

虎跑泉

——明・田汝成《西湖游览志》卷五引《铭叙》

中国山川名胜传说。虎跑泉在杭州郊外南山大慈定慧禅院外。唐朝中期性空和尚来游，喜爱南山灵气钟秀，但苦于缺水，打算离开。忽有神人跪在地上，请他勿去，南岳童子将派两只老虎前来掘泉。第二天清早，性空和尚果然见两只老虎跑（páo）土（指老虎用爪刨地）出泉，泉水清冽，甘甜爽口，取名“虎跑泉”。

老虎媳妇

——清·陈梦雷等《古书图书集成》卷一一五八引《襄阳县志》

中国传说故事。唐开元年间，有个姓崔的书生进京赶考，路过襄阳卧佛寺。因天色已晚，就借宿寺中。他看到一只老虎进入寺中，蜕皮变成一个美貌的妇人。妇人来到崔生房中，说愿意做他的媳妇。崔生哄她入睡后，出屋寻找虎皮，把虎皮投入井中。妇人醒来寻不到虎皮，只得随崔生而去。崔生金榜题名，升为县官。六年中与妇人生了两个儿子。后任满回京，又经过卧佛寺。崔生以为妇人与自己相随多年，当无异心，就把过去的事情告诉了她。妇人听了很高兴，催他取回虎皮，虎皮一点无损。妇人披上虎皮，化为雌虎，大吼一声，回头看了看两个儿子，慢慢离去。

烈裔

——东晋·王嘉《拾遗记》卷四

中国传说中神奇的画工。他口含颜料喷在地上，立即变成鬼魅、怪物。他用玉雕成的百兽栩栩如生，胸前皆刻有年月。但他刻的禽兽都没有眼睛，如点睛，必定飞走。秦始皇不信，用黑漆在其中的两只玉虎上各点了一只眼睛，第二天两只玉虎不见了。不久听深山里人说，看见两只独眼白虎。第二年捕捉到这两只虎，刺杀它们，检查它们的胸脯，果然有烈裔刻着的年月。

虎 寓言

刺猬和橡壳

——隋・侯白《启颜录》

一只老虎到野外找食物，一只刺猬仰着身体睡在地上，老虎以为是一块肉，想衔起它来。忽然刺猬蜷起身体，挂在了老虎的鼻子上。老虎吓得赶快逃跑，一刻也不停地跑进山里。跑累后，不知不觉睡着了。刺猬这才放开老虎鼻子，自己跑开。老虎醒来后，发觉刺猬已松开它的鼻子，很高兴，跑到橡树下面乘凉。低头看见带刺的橡子壳，以为是小刺猬，就客气地对它说："刚才我碰到您父亲，晓得了它的本领，劳驾您给让个道吧！"

橡壳：橡子的壳，有刺。

◇弱者只要发挥自己的长处，也能战胜强者，使强者害怕。

道士救虎

——明・刘基《郁离子》

一座山上住着一个道士。一天晚上，山上的洪水奔流直下，很快淹没了村庄。村民们爬上屋顶，呼喊救命。道士用一条大船在水边救人，碰到落水的灾民就扔去绳索、木头，搭救人们上岸。后来见到一只野兽，仰着头，一副求救的样子。道士说："它也是有生命的，快救上来！"救上来一看，才知是一只老虎。老虎上岸不久就盯着道士看，一下子扑到道士身上，幸亏人们抢救，道士才没死，但已受了重伤。

◇对吃人的野兽不能有丝毫的同情和怜悯。

虎

潘方尔肖形印

外国动物故事

山神之虎

［韩国］

在朝鲜半岛的深山中，有一座神秘的大山，名为白虎山。村民们世代相传，这座山由一只神圣的白虎守护，它被称为“山神之虎”。白虎的传说在村庄中被口口相传，孩子们总是围着长辈听这只白虎如何击退妖魔，保护人们安宁的故事。

有一年，白虎山中的树木无缘无故地枯萎，夜晚时常有令人毛骨悚然的吼声。村民们开始恐慌，说这是妖灵复苏，企图侵占这片山林和村庄。村长眉头深锁，知道此时唯有唤醒山神之虎，才能挽救大家。

村中有一个年轻人，名叫俊熙，他从小便听着白虎的故事长大。俊熙父亲曾是猎人，但在一次意外中被山中妖怪袭击而亡。从那时起，俊熙便下定决心，长大后要保护村庄。于是，当村长向村民征求志愿者时，俊熙挺身而出：“让我去山中寻找山神之虎，我愿为村庄付出一切。”

村长看着俊熙坚定的眼神，深深叹了口气：“孩子，这一路充满危险，你可要做好准备。”

俊熙背起弓箭和干粮，朝着白虎山进发。山路崎岖，荆棘丛生。夜晚，俊熙在山洞中休息时，听见不远处传来低沉的吼声，知道那是妖灵的踪迹。

第二天清晨，俊熙继续前行，终于在一片高山草原上看到了传说中的白虎。白虎的毛发如雪般洁白，双眼如冰蓝的湖水，透着威严与智慧。它望着俊熙，缓缓开口："年轻人，你为何冒险来到此地？"

俊熙见到白虎，立即跪下，恭敬地说道："山神之虎，我是来请求您的帮助。妖灵复苏，威胁着山林和村庄，只有您的力量能驱逐它们。"

白虎静默片刻，眼中闪过一丝复杂的神情："我知道黑暗的力量正在蠢动，但要战胜它们，需要的不仅仅是我的力量，还需要人类的勇气与信念。"

白虎用前爪轻轻拍了拍地面，草丛中显现出一块古老的石碑，上面刻着符文："这是封印妖灵的秘术，但只有真正无畏的人才能使用。"

俊熙看着石碑，心中明白，自己必须证明自身的勇气。就在这时，一阵冷风卷起，黑暗中浮现出数只猩红的眼睛。妖灵现身了，阴影在草原上蔓延，空气中充满了寒意。

白虎发出低吼，扑向妖灵，与它们展开激战。俊熙虽然心有恐惧，但一想起父亲的悲剧和村民的期望，勇气便涌上心头，只见他紧握弓箭，瞄准那些妖灵，箭矢如同流星般射出。

随着白虎的咆哮和俊熙的奋战，妖灵逐渐被逼退。最终，俊熙站在石碑前，双手合十，默念古老的咒语。石碑发出金光，妖灵发出凄厉的叫声，化为黑烟消散在空气中。

自那天起，白虎山恢复了平静，村庄再无妖灵骚扰。俊熙成了村民心中的英雄，而山神之虎的传说更是代代相传，提醒人们守护家园需要勇气和团结。

邓明书法　潘方尔水墨漫画（局部）

tù

兔

《辞海》中的释义

1. 哺乳纲，兔科动物的统称。
2. 古代车制，车箱底板下面扣住横轴的两个装置叫作轐。其形如伏兔，故又叫伏兔，简称“兔 ”。《周礼 · 考工记 · 辀人》:“十分其辀之长，以其一为之当兔之围。”郑玄注 :“辀当伏兔者也。”按，指辀（即辕）末与两兔之间连接的一段。

组词

兔毫 / 兔魄 / 兔起鹘落 / 兔丝燕麦 / 兔死狗烹 / 兔死狐悲 / 兔脱

龟毛兔角 / 狡兔三窟 / 乌飞兔走

蟾兔 / 赤兔 / 飞兔 / 顾兔 / 金兔 / 守株待兔 / 脱兔 / 玉兔 / 逐兔

卯兔

邓明书法

卯兔是十二生肖中“兔”的全称，古人认为兔子是明月之精，而列为地支的第四位。“玉兔”，源自晋代傅玄《拟天问》：“月中何有，白兔捣药，兴福降祉。”后有嫦娥奔月、玉兔引路等传说。成语有守株待兔、兔死狐悲、狡兔三窟等。其作为生肖的象征意义，在于温顺可爱、机智敏捷、长生不老。

Rabbit

兔

郑辛遥简笔画

兔缺唇

在十二生肖中，兔子可以称得上是聪明、机灵、温顺同时又是以“弱者”的形象出现的。兔子也有不足之处，就是它的“缺唇”，又称为“豁唇”。为什么兔子成了豁嘴的呢？我国西藏地区有一个美丽的故事是这样说的：

不知什么时候，马鸡、狼、狐狸和兔子交上了朋友。它们感到十分荣幸，因为兔子是出了名的聪明，而兔子呢，也感到很高兴，因为它成了这小集团的首领。

这天4个朋友一同出去打猎。它们游荡了半天还没有打到东西，肚子里就像唱歌一样，辘辘直响。这时，兔子忽然看见远远来了一个喇嘛，他背上背着沉重的褡裢。褡裢是长方形的口袋，中央开口，两端各成一个袋子，大的可以搭在肩上，装钱物用。兔子见到这个情景，忽然计上心来，忙把大伙叫到一边，如此这般嘱咐了一番。大伙连连夸奖好计，立刻分散，开始行动。

狐狸按照兔子的吩咐，飞也似的跑到喇嘛前面的路旁树丛里等着。等喇嘛走近，它便从树丛里走出来，装成跛脚的模样，在喇嘛面前一拐一拐地走着。

那喇嘛看见自己面前突然钻出个跛脚狐狸高兴极了，心想今天运气真不错，不久准能戴上狐皮帽子了。他立刻加快脚步，把身子弯成半月形，伸出双手，去捉那狐狸。谁知狐狸很灵活，几次眼看要被抓住，又闪脱了。就这样追了一阵子，喇嘛累得气喘吁吁，汗流浃背。最后，他干脆把肩上的褡裢一扔，帽子、靴子也丢到一边，一心一意追那狐狸去了。

这时，兔子、马鸡和狼连忙赶上去，把那些东西统统偷了回来。

一会儿，狐狸摆脱喇嘛回来了。于是，大家把偷来的东西放在地上，开始分赃。

兔子拿起那顶喇嘛帽，交给马鸡，说："你爱到地里找东西吃，这顶帽子就分给你。你戴在头上，别人就再也打不着你了。"

"好的好的。"马鸡欢欢喜喜地戴上帽子，飞走了。

然后，兔子拿起那双靴子交给狼，说："你爱到草地偷羊，这双靴子分给你。你穿在脚上，烂泥就不会打湿脚了。"

"好的好的。"狼高高兴兴地穿上靴子，走了。

然后，兔子解开褡裢，在里面摸了一阵，摸出一副铜钹，递给狐狸，说："你的儿女多，这副铜钹分给你。你拿回去敲给它们听，包管它们心里高兴得了不得。"

"好的好的。"狐狸快快乐乐地拿着铜钹，回去了。

最后，剩下半褡裢糌粑，兔子笑眯眯地背回家，独自享用去了。

先说马鸡，它戴上那顶喇嘛帽，飞到地里去吃粮食。帽子太大，遮住了他的视线。结果，被人一把揪住尾巴。它拼命挣扎飞扑，好容易挣脱了，可尾羽全部被拔光了。

再说狼，它穿了双靴子去偷羊。牧羊人发现了，抡着木棒追来，打折了它的一根胫骨。狼丢了靴子，才算逃脱了性命。

狐狸呢，遭遇也不是太好。它刚把铜钹带回洞里，看见自己的一群狐儿女正在崖边玩耍，立刻举起铜钹一敲，想突然给它们一阵惊喜。谁知小狐狸从没听过这声音，吓得统统滚下高崖摔死了。

马鸡、狼和狐狸碰在一起，都怪兔子害了它们。大伙儿决心一块去找兔子算账。

兔子正在洞口吃糌粑，看见马鸡、狼和狐狸气势汹汹地走来，知道事情不妙，立刻抓起一块鹅卵石，狠狠地往自己嘴上一砸！只听“呛”的一声，上唇立刻砸开一道裂口，鲜血不住地流下来。他不等马鸡、狼和狐狸走拢，便哭哭啼啼地迎上去，说：“哎呀！我们上喇嘛的当了。你们看我吃了糌粑，嘴唇却裂口啦！好疼呀……”

于是，大伙饶了兔子，心平气和地走了。可是，从那时起，兔子的后代就变成豁唇了。

这就是“兔缺唇”的一则藏族故事，它刊载在一本叫《丹珍和塔尔基》的故事集子里。我想，其他民族也会有类似的故事。其实正如蛇没有脚是天生的一样，兔子的缺唇也是与生俱来的。

我是白兔爱吃草

潘方尔水墨漫画

兔 诗词·名句

题画兔

南宋·陈与义

碎身鹰犬①惭何忍，埋骨诗书事亦微。
霜露深林可终岁，雌雄暖日莫忘机②。

注释

① 鹰犬：打猎时用以追逐禽兽的鹰和猎犬。
② 忘机：忘掉世俗的机巧之心，淡泊名利，与世无争。

作者简介

陈与义（1090—1138），南宋诗人。字去非，号简斋，洛阳（今属河南）人。

解说

兔子死于鹰犬是多么的残忍，埋骨也是微不足道的。终年在茂密的树林，雌雄难以分辨，忘掉世俗的机巧之心，淡泊名利，与世无争。

咏白兔

明·李梦阳

趯趯①来何处，爰爰②上玉堂③。
不因丹灶④跃，那睹雪毛香。
昼日行疑月，炎天卧有霜。
异时归捣药，莫碍广寒光。

注释

① 趯趯：跳跃的样子。《诗经·召南·草虫》：『喓喓草虫，趯趯阜螽。』

② 爰爰：舒缓的样子。《诗经·王风·兔爰》：『有兔爰爰，雉离于罗。』

③ 玉堂：宋太宗赐翰林『玉堂之署』，后以『玉堂』代称翰林院。

④ 丹灶：炼丹用的炉灶。

作者简介

李梦阳（1473—1530），明代文学家，复古派“前七子”的领袖人物。字献吉，又字天赐，号空同子，庆阳（今属甘肃）人。

解说

这首诗描绘了白兔的形态与活动，展现出一种超凡脱俗的意境。白兔轻盈跳跃，或行或卧，始终优雅而灵动。传说中，月亮上有一只兔子，手持玉杵捣药，这就是“玉兔捣药”。据说吃下它制成的药丸，便可长生不老，成仙飞升。

茕茕白兔，东走西顾。
衣不如新，人不如故。

——汉·佚名《古艳歌》

长嗟白兔捣灵药，
恰似有意防奸非。

——唐·卢仝《月蚀诗》

白兔捣药秋复春，
嫦娥孤栖与谁邻？

——唐·李白《把酒问月·故人贾淳令予问之》

吴质不眠倚桂树，
露脚斜飞湿寒兔。

——唐·李贺《李凭箜篌引》

著意登楼瞻玉兔，
何人张幕遮银阙。

——宋·辛弃疾《满江红·中秋》

可笑常娥不了事，
走却玉兔来人间。

——宋·梅尧臣《永叔白兔》

辛卯吉祥

赵澄襄剪纸

兔 成语

龟毛兔角

龟生毛，兔长角，古代指出现反常的凶兆，预示将发生战争。比喻不可能存在的或有名无实的东西。

狡兔三窟

狡猾的兔子有三个窝。比喻狡猾的人藏身的地方多。

窟：窝。

惊猿脱兔

像受惊的猿猴和逃跑的野兔。形容惊慌逃窜。

脱：逃跑。

守株待兔

战国时宋国有个农夫，看见一只兔子撞死在树桩上，便不去田里干活，每天在树桩旁等着，希望再得到撞死的兔子。（见《韩非子·五蠹》）后用“守株待兔”比喻不经过自己的努力，妄想得到意外的收获。

株：树桩。

兔起鹘落

兔子刚起来，鹘就飞扑下去。比喻行动敏捷，也比喻写字、作画时的笔姿飞舞迅速。

鹘：打猎用的鹰一类的猛禽。

兔死狐悲

兔子死了，狐狸悲伤。比喻因同类的死亡而感到非常伤心。多用于贬义。

兔走乌飞

也作“乌飞兔走”。传说太阳里有三只脚的乌，因称太阳为“金乌”；又传说月亮里有白兔，因称月亮为“玉兔”。后用“兔走乌飞”形容时间飞快地过去。

兔俗语

饿慌的兔儿，都要咬人

像兔子这样的弱小动物，饿得要死的时候，也会被逼得去咬人。比喻弱者被逼得走投无路时，也会起来反抗。

兔子不吃窝边草

比喻不在自己住的地方做坏事，不侵犯周围的人的利益，便于自己能安身。

兔子不点灯自亮

比喻自身有优势，不需要外在条件。

兔子吹笛子嘴不严

比喻说话不严密，容易泄露秘密。

兔子的耳朵听得远

比喻消息灵通，知道得多。

兔子跟着月亮跑沾光

比喻借助别人的光来显示自己的价值。

兔子看人红眼了

比喻嫉妒或羡慕别人。

兔子尾巴长不了

兔子的尾巴很短，比喻事情不会长久，或坏人寿命不会长久。

兔子沿山跑，还来归旧窝

比喻人总是怀念故乡。

兔 风俗

点兔灯

正月十五元宵节时，人们会点兔灯，用纸片和纸糊成各种动物的形状，其中兔灯深受孩子们的喜爱。点兔灯不仅热闹喜庆，还有消除病灾、祈求人丁兴旺的美好寓意。

挂兔头

在农历正月初一，人们会用面捏制兔头，与盛雪水的竹筒、年幡、面具一起悬挂在大门的门额上，以镇邪禳灾、祈求吉祥。

生育忌兔肉

在汉族有生育忌兔肉的习俗，因为兔子豁嘴，所以孕妇妊娠时禁食兔肉，以免孩子出生时豁嘴。

贴兔儿帖

民间有贴兔儿帖的习俗，用艾草或彩纸剪成小虎形状粘贴在门户上，象征着兔子的五德:仁、义、礼、智、信。

兔儿鞋

旧时汉族民间童鞋。流行于全国许多地区。鞋顶端稍作尖形，绣兔唇、红眼，尖口两侧镶附兔耳形绣片。口沿后端缀一绣带，仿佛兔尾,兼作穿鞋时提拽之用。每年中秋节，一岁以上、五岁以下儿童均穿此鞋。俗信穿后可使小儿腿脚利落，行走敏捷。

兔儿爷

亦称“彩兔”。汉族民间中秋节饰物。流行于北京、天津地区。清代已流行。兔首人身，饰以五彩,千姿百态。中秋节前后，街上有售。居民争相购买，置于室中，或供在案上祭月。民间取月中蟾蜍玉兔祭拜，祈求顺遂吉

十二生肖：兔

徐悲鸿

祥。其形象为儿童所喜爱。

迎霜兔

古代汉族重阳节酒宴食物。流行于北方地区。农历九月初九重阳节前后，设宴相邀，称为迎霜。宴席间，吃节前猎得的野兔烹制成的菜肴，称为“迎霜兔”。

赠兔画

在一些地方，有赠兔画的育儿风俗，画中有六个小孩围着一张桌子，桌上站一手持兔子吉祥图的人，祝福孩子将来生活安宁、步步高升。

兔 格言

飞鸟尽，良弓藏；狡兔死，走狗烹。

——西汉·司马迁《史记·越世家》

高飞的鸟射完时，良弓就收藏了；狡猾的野兔被捕尽时，猎狗就被烹杀了。比喻功业一旦建立，功臣良将就会遭殃或被遗忘。

尽：完。

良：好，优。

见兔而顾犬未为晚也，亡羊而补牢未为迟也

——《战国策·楚策四》

打猎时，见了兔子，再放猎狗去追击，那不能算晚；羊逃跑了，再来修补羊圈，那也不能算迟。比喻出了事故，只要及时补救，还是来得及的。

顾：发放。

亡：失掉。

牢：关养牲畜的圈。

雄兔脚扑朔，雌兔眼迷离。双兔傍地走，安能辨我是雄雌？

——南北朝·无名氏《乐府诗集·木兰诗》

（把兔子提起来）雄兔的脚扑腾扑腾乱蹬，雌兔的眼睛半闭。两只兔子奔跑时难辨雄雌，形容事物错综复杂，难以辨别。

扑朔：雄兔的脚扑腾扑腾乱蹬。

迷离：雌兔眼睛半闭。

逐鹿者，不顾兔；决千金之货者，不争铢两之价

——《淮南子·说林训》

追逐鹿的人，不顾到再去捉兔子，因为鹿比兔大；决定做价值千金的大生意的人，不争微小的差价，因为千金重于铢两。说明不应因小失大。

逐：追逐，捕捉。

决：决定。

铢两：古代重量单位，为一两的二十四分之一。

兔 神话

嫦娥奔月

——《淮南子·览冥训》

中国神话故事。嫦娥是天神羿的妻子。羿射死天帝的九个太阳儿子，得罪了天帝，天帝把他打落到人间，跟平常人一样，再也不能到天上去而且要变老而死。羿到昆仑山向西王母讨来不死药，本想选择一个好日子夫妻共享。没想到嫦娥一个人把不死药偷偷吃掉了。嫦娥才吃下，奇怪的事马上就发生了。她觉得脚下生风，身不由己高高飞起，慢慢地飘入月宫。月宫中只有一只兔子、一只蟾蜍、一棵桂树与她做伴。她愈住愈觉得冷清，很后悔没有和丈夫同吃灵药；她又怕世人耻笑，所以月色常是朦胧的。

吐子成兔

——《武王伐纣平话》

中国古代传说故事。殷纣王时，西伯周文王勤政爱民，他所管辖的周国很富强。有人密告纣王，要他杀了周文王以除后患。纣王就把他关在羑里（古城名，故址在今河南汤阴北）这地方。文王手下大臣奔走营救，纣王见周国送来许多珍宝很高兴，想放了文王，又恐他果是圣贤，放虎归山。为了试探他，纣王把文王的长子剁成肉酱，赐给他吃。文王明知，仍强压悲愤，边吃边称好。纣王大喜，以为他并非圣贤之辈，就释放了他。文王被放出牢笼，到羑里城外，下马用手指扣喉咙，所吃之肉尽吐出来，落地都化为兔子。文王悲恸欲绝，大哭而去。

兔寓言

百人逐兔

——《慎子·内篇》

一只野兔在田野里奔跑，会有成百的人在后面追赶捕捉。并不是一只兔子够一百个人分，而是因为这只兔子归属未定，于是人人都想占为己有。而大批的兔子堆在集市上，过路的行人却看都不看一眼。不是人们不想得到兔子，而是这些兔子都是店主的，要得到它就得花钱。

◇归属未定的东西，往往会引起人们的争夺。

龟兔赛跑

——古希腊《伊索寓言》

有一天，在森林里兔子和乌龟比赛跑步，兔子嘲笑乌龟爬得慢，乌龟说："总有一天我会赢的。"兔子就轻蔑地说："那我们现在就开始比赛。"乌龟答应了，兔子大声喊道："比赛开始！"兔子飞快地跑着，乌龟拼命地爬着。不一会儿，兔子与乌龟已经离得有很大一段距离了。兔子认为比赛太轻松了，它要先睡一会，并且自以为是地说即使自己睡醒了乌龟也不一定能追上它。而乌龟呢，它马不停蹄地爬行，爬呀爬呀，到兔子那里的时候，它已经累得不行了，但乌龟想如果这时和兔子一样去休息，那比赛就不会赢了，所以乌龟继续地爬呀爬呀。当兔子醒来的时候乌龟已经到达终点了。

◇不可轻易小视他人。谦虚使人进步，骄傲使人落后。要踏踏实实地做事情，不要半途而废，才会取得成功。

兔

潘方尔肖形印

外国动物故事

月光下的勇敢兔

［法国］

法国普罗旺斯地区盛产薰衣草。在一片广袤的薰衣草田边，有一座被视为神秘之地的森林。据说，森林中藏有一种神奇的草药，能治愈百病，但只有最勇敢的人或动物才能找到它。

这片森林有一个守护者——夜莺女王，它只在月光最明亮的夜晚出现。据说，任何想要闯入森林的人或动物，必须接受它的试炼，只有通过者才能找到那株草药。

村里有一只名叫露西的小兔子，敏捷聪慧。村里最小的女孩艾米因高烧昏迷，村医束手无策。露西是艾米的好朋友，看着艾米痛苦的样子，它心中暗暗下定决心："我必须找到那株草药，无论多么困难。"

那天夜里，月亮如银盘高悬，露西抬头望着森林深处闪烁的微光，勇敢地迈出步伐。进入森林后，露西心中默念着艾米的名字，激励自己勇往直前。

不久后，露西被一声美妙的歌声吸引，那是夜莺女王的歌声。歌声悠扬婉转，却带着一丝考验的意味。突然，夜莺女王从一棵古树后现身，声音柔和却带着威严："小兔子，踏入这片森林意味着接受考验。你可准备好了？"

露西坚定地点头："我愿意，无论是什么考验。"

夜莺女王轻轻一挥翅膀，前方的树林中渐渐出现三道光圈，每道光圈中闪现着不同的试炼。第一个光圈中是一条窄小的木桥，桥下是黑暗的深渊。露西小心翼翼地走上木桥，毫不犹豫，轻快地越过了桥，安全到达彼岸。

第二道光圈中是一片迷雾笼罩的薰衣草田，迷雾让露西辨不清方向。它想起村中老人们提道："用心去看，用耳去听。"露西静静地聆听着夜晚的声音，耳朵捕捉到一阵微弱的水声。它顺着声音走去，发现前方是一条小溪，水流指引着它穿过了迷雾。

夜莺女王满意地点了点头，展开双翅，低声说道："最后一关，是勇气的考验。"第三道光圈里，露西看到了一只巨大的夜影狼，双眼在黑暗中闪烁着红光。夜影狼露出獠牙，发出低沉的咆哮。露西的心脏狂跳不止，但它想起了艾米那虚弱的脸庞，恐惧渐渐被勇气所替代。

露西深吸一口气，直视着夜影狼的眼睛，冷静地说："我不怕你，我要为朋友而战。"夜影狼的咆哮声逐渐减弱，身影在月光下化作一阵烟雾消失。原来，这只是夜莺女王为测试露西勇气所设下的幻影。

夜莺女王微笑着说道："小兔子，你通过了试炼。你的勇敢与坚定足以证明你值得这株草药。"她轻轻挥动翅膀，一株晶莹的草药从地面升起，散发出淡淡的光芒。

露西小心翼翼地带着草药返回村庄，将草药交给村医。艾米在服下药草后渐渐睁开了双眼。村庄中响起了欢呼声，露西成为了大家眼中的英雄。

遇見自己

十二生肖

邓明书法　潘方尔水墨漫画（局部）

lóng

龙

《辞海》中的释义

1. 传说中一种有鳞角须爪能兴云作雨的神异动物。《易·乾》："飞龙在天，利见大人，何谓也？"
2. 封建时代用龙作为皇帝的象征。如龙颜；凤子龙孙。
3. 高大的马。《周礼·夏官·廋人》："马八尺以上为龙。"
4. 旧时堪舆家以山势为龙，称其起伏绵亘的脉络为龙脉，气脉所结为龙穴。刘禹锡《虎丘寺路宴》诗："埋剑人空传，凿山龙已去。"
5. 星名。东方苍龙七宿的统称。《左传·桓公五年》："龙见而雩。"亦指岁星。《左传·襄公二十八年》："蛇乘龙。"杜预注："龙，岁星。岁星，木也。木为青龙。"
6. 古生物学上指古代一些巨大的爬行动物，如恐龙、翼手龙等。
7. 通"宠"。《诗·小雅·蓼萧》："既见君子，为龙为光。"毛传："龙，宠也。"
8. (Lóng) 姓。

组词

龙飞 / 龙飞凤舞 / 龙凤 / 龙肝凤髓 / 龙光 / 龙卷 / 龙虎 / 龙虎榜 / 龙驹 / 龙漦

白龙鱼服 / 登龙门 / 伏龙凤雏 / 画龙点睛 / 骥子龙文 / 蛟龙得水 / 来龙去脉 / 攀龙附凤 / 曝鳃龙门

变色龙 / 苍龙 / 车水马龙 / 乘龙 / 逴龙 / 从龙 / 雕龙 / 飞龙 / 风虎云龙 / 黄龙

辰龙

邓明书法

辰龙是十二生肖中“龙”的全称，古人认为辰时群龙戏水，有益于庄稼生长，而列为地支的第五位。龙的形象，源自氏族部落的联合与兼并。《易经》《说文解字》《尔雅》《山海经》《淮南子》都有记载，此外有龙生九子、鲤鱼跳龙门等传说。其作为生肖的象征意义，在于气宇轩昂、尊贵神圣、能屈能伸。

Dragon

龙

郑辛遥简笔画

龙——生肖的象征意义

在十二生肖的动物中，只有龙是被虚构出来的。但人们对此非但不感到有什么牵强附会，倒是引发出一种亲切感。我们祖先独创出来的这种神奇动物形象，被赋予了一种变幻莫测，无所不能的力量。

中国人被称为“龙的传人”。我们的祖国大地被称为“龙的土地”。不但全世界的中华民族子孙都熟悉“龙”这种形象，各种肤色的外国人，也从“龙”这个标记中，知道它和中国的密切联系。这种现象，可以说是十分微妙的。

在中国这块大地上，太古时代，的确曾经有过古生物学家心目中的“龙”，山东的莱阳、云南的禄丰、黑龙江的嘉阴等地，新中国成立以后，都曾经发掘过完整的恐龙化石。我国是保存完整恐龙化石最多的国家之一。

然而，洪荒时代这些曾经在亚洲大陆上纵横逞威的大型爬行动物，和今天人们心目中的腾云驾雾的龙，完全是两回事。恐龙生长在中生代，距今一亿年以上，那时不但还没有人类，而且连人类始祖——类人猿，也还没有跨上历史舞台。在这个时期，只出现一些有袋类的哺乳动物。等到原始人类出现的时候，恐龙早已在地球上绝迹，只在地层里留下了它们骸骨的化石。

在考古工作者发掘出来的地下文物中，就有五千年前的龙形玉制品。有的学者认为，中国最早的龙的形象与猪的形体有关。于是，有人提出了“猪龙变化说”，以为龙的起源和产生，与原始农业有着密切的关系。中国原始农业素以养猪著称，猪在古代又被称为“水畜”。在古代农事活动中，特别是在祭天、求雨、祈防洪涝的祭祀活动中，用猪作为沟通人与神之间的信物，是很自然的。猪首之逐渐变为龙首，便是这一背景的产物。

这种说法，在考古学意义上或许是有道理的。但严格地说来，本来在生物界全无踪影的中国式的龙，是如何在古代人的心目中形成和发展起来的？它并不是一个生物学的问题，而是一个历史学和民俗文化学的问题。

在古人的眼里，龙仿佛是一种水生动物。战国时代的荀子在《劝学》篇中写道：“积土成山，风雨兴焉；积水成渊，蛟龙生焉。”特别指出了蛟龙是诞生在水的深渊之中的。唐朝文学家刘禹锡则在《陋室铭》中说：“山不在高，有仙则灵；水不在深，有龙则灵。”这也是说，不论水多么深还是多么浅，只要有龙的存在，这里就成为通灵的宝地了。正因为把龙看成水生动物，所以古人以为它和云雨有关系，常常用一种玉琢的龙来祈云求雨。

可是，在另一些古人的眼里，龙又成了爬行类动物。古人称穿山甲为龙鱼，而龙要比穿山甲大得多。龙不仅有甲，而且有须。古代文物中的龙的形象，可以说是千姿百态，各不相同。今天，我们所谓的“龙”的概念和形象，是在悠久的历史渊源基础上和社会演变中逐渐形成的。

我们中华民族，首先是汉族，从远古时代起就流传着龙的神话。

晋朝以前的《竹书纪年》中就记载：女登梦见了龙而怀孕，生下了炎帝；附宝梦见北斗星入怀而生下了黄帝；庆都梦见赤龙而生尧舜等。所以逐渐形成炎黄子孙都是龙的后代的说法。后来逐渐扩大到其他民族，各民族都把龙作为权威、神圣、吉祥的象征。清朝虽然是满族统治中国，却以龙旗为国旗；蒙古族、藏族的建筑、服饰，也以龙为图案；苗族、侗族、壮族等都要划龙船，玩龙灯等。随着历史的发展，龙成为了整个中华民族的象征。

尽管在地球远古的生物界中，存在过恐龙一类的大型爬行动物，但是，几千年来，我们中华民族心目中的龙，却与恐龙全然不同，是一种十全十美的神物。它经过千百万劳动人民，特别是一些画家、雕塑家、工艺家、文学家、刺绣能手和能工巧匠丰富的想象和创造，集中了很多动物的优点和美感，并且赋予了人格化的各种理想含义，才形成了代表中华民族，有象征意义的龙的庄严形象：蛇身鱼尾，显示着灵活多变；麟角虎眼，象征着威严英武；鲤鱼鹿额，暗示着聪明智慧；鹫脚鹰爪，代表着勇猛果敢；脊上的椎刺，寓意坚韧；爪下的火焰，代表神圣；狮鼻鲢口，象征富贵吉祥；马齿牛耳，表示勤劳善良。它能上天，腾云驾雾；又能入海，驾驭波涛；不畏水火，叱咤风云，成为一种既英武神圣，又俊美可爱的理想形象。它实际上是中华民族的大无畏精神和尊严的象征。

然而，在漫长的封建社会中，龙作为我们民族的象征，却几乎都成了帝王的专利品：只有皇帝才是“真龙天子”；其家族成员也成为龙子龙孙。

“青山遮不住，毕竟东流去”。龙是中国人民创造的美好形象，尽管曾经被帝王所占有和垄断，然而，龙的形象早已烙在民众心灵深处，

龙行天下靠什么

潘方尔水墨漫画

成为民俗文化的美好形象，因此也是任何力量抹不掉，赶不走的。

在今天还运用和流传的民间吉祥物中，有：

“龙腾云海”，能呼风唤雨，翻云拨雾，寓以吉祥和美好之意，成为我国传统民族精神的象征，深为人们所崇尚。龙的形态在各类物件和建筑工艺上是丰富而多变的。如坐龙正面盘卧，姿态端庄。行龙曲身如躬，缓缓而行。升龙昂首向上，飞舞奔腾。降龙俯动而下，跃首回伸。云龙腾跃云海，隐露断形。草龙身尾卷草，华丽协调。拐子龙躯干挺拔，折转圆方。夔（kuí）龙蜷（quán）曲环转，变化多端。

“双龙戏珠”，是以两条龙戏耍或抢夺一颗火珠的纹图。据清朝学者屈大均《广东新语》说：合浦有个人曾经有一颗龙珠，他不知此是宝物。当家中断粮的时候，就用它向别人换米。那个换得龙珠的人，将龙珠含入嘴中，不小心吞下了肚子。不久，全身遍体龙鳞，化成了一条龙。这大概是一则关于龙珠的民间传说吧。“双龙戏珠”从汉朝开始便成为一种吉祥喜庆的装饰图纹。两条龙不管排列成什么形状，火珠，亦即龙珠总是居中央。

“龙凤呈祥”。龙善于兴云作雨能使风调雨顺，造福佑民，使五谷丰登；凤性高洁，喜于歌舞，它的飞临会给人家带来幸福和安宁。自古以来，人们一直认为龙飞凤舞是国家兴盛，天下太平的吉祥之兆。“龙凤呈祥”的纹图，在民间也表现为夫妻和美，互相爱慕。龙象征着男性的坚强刚毅，凤象征着女性的美貌温柔，从而预示着婚姻的美满和幸福。直到今天，婚礼的喜帖上，还常常印有“龙凤呈祥”的金色纹图。

龍 诗词·名句

龙移

唐·韩愈

天昏地黑蛟龙移[1]，雷惊电激雄雌随。
清泉百丈化为土，鱼鳖枯死吁可悲。

注释

①蛟龙移：比喻强大的力量。

作者简介

韩愈（768—824），唐代文学家、哲学家。字退之，河南河阳（今河南孟州南）人。自谓郡望昌黎，世称韩昌黎。

解说

这首诗以描写风沙、雷雨时天地间一片昏黑的自然景象下蛟龙的遭遇，来形容政治腐败、社会黑暗下的有识之士怀才不遇，报国无门，令人感慨万千。

龙

宋·徐积

云是口中气，雨是口中沫。
口中嘘吸须臾①闲，天下焦枯②一时活。

注释

① 须臾：片刻，短时间。
② 焦枯：干枯。

作者简介

徐积（1028—1103），宋诗人。字仲车，楚州山阳（今江苏淮安）人。性至孝。喜琴棋，善骑射。曾受业胡瑗之门。

解说

云就是口中的气，雨就是口中的沫。口中喷吐之间，稍纵即逝，天下的干旱枯涸瞬间消除。这首诗表达了云雨的关系，比喻云即将成雨，形容喷吐之间即可变化。

壬辰吉祥

赵澄襄剪纸

为余驾飞龙兮，
杂瑶象以为车。

——先秦·屈原《离骚》

龙欲升天须浮云，
人之仕进待中人。

——三国魏·曹植《当墙欲高行》

离别何言邂逅同，
今知相逐似云龙。

——宋·王安石《豫章道中次韵答曾子固》

初怪上都闻战马，
岂知穷海看飞龙。

——宋·陈与义《伤春》

斯须九重真龙出，
一洗万古凡马空。

——唐·杜甫《丹青引赠曹将军霸》

龙行踏绛气，
天半语相闻。

——唐·阎朝隐《奉和登骊山应制》

龍 成语

藏龙卧虎

龙、虎，比喻有才能的人。比喻隐藏而不显露的人才。

画龙点睛

传说南朝梁画家张僧繇在金陵安乐寺画了四条龙，不点眼睛。他说："点了眼睛，龙就会飞去了。"别人不信，一定要他点上。他刚把其中两条龙的眼睛点上，立刻闪电打雷，震破墙壁，两条龙就腾云飞上了天。（见唐张彦远《历代名画记》）后用"画龙点睛"比喻讲话或写文章时，在关键地方用几句话点明实质，使内容更为精辟。

蛟龙得水

古人传说蛟龙得到水，就能兴云作雨腾飞升天。比喻有才能的人获得了发挥本领的机会。

蛟：蛟龙。古时传说中的没有角的龙。

龙飞凤舞

像龙飞，像凤舞。多形容书法家写草书的笔势活泼生动。

龙潭虎穴

龙潜居的深水坑，老虎藏身的洞穴。比喻危险的地方。

潭：深水坑。

穴：洞。

龙争虎斗

像龙和老虎一样争战厮斗。形容斗争或竞赛非常激烈。

攀龙附凤

攀住龙，依附凤。比喻奉承或投靠有权势的人，从而获取个人的名利地位。

群龙无首

无首，没有带头的。一群龙

没有带头的。比喻没有人统一指挥，以致事情无法进行。

生龙活虎

活生生、有生气的龙和虎。形容人富有生气，充满活力。

降龙伏虎

降伏龙和虎。原为佛教故事，讲高僧能制服龙和虎。后比喻战胜强大的势力。

叶公好龙

传说叶公很爱好龙，用的器物上画着龙，屋室里也刻着龙。真龙知道了，进入叶公家。叶公见了，吓得失魂落魄，连忙逃走。（见汉刘向《新序·杂事五》）比喻表面上爱好某些事物，实际上并非真正爱好它。

鱼龙混杂

鱼和龙互相混杂。比喻坏人和好人混杂在一起。

龍 俗语

摆龙门阵

指几个人围在一起聊天或讲故事。

大水冲倒龙王庙，自家人不认得自家人

龙王是水神，可是它的庙却被水冲垮了。自己家里的人却损害了自己家里人的利益。比喻与自己一伙的人发生了冲突。

龙王：传说中住在海里的神，管理海中各种动物。

龙归大海，虎入深山

比喻到了可以施展本领、大有作为的合适的地方。

龙怕揭鳞，虎怕抽筋

比喻本事再大的人，也怕伤及要害。

十二生肖：龙

徐悲鸿

龙游浅水遭虾戏

龙一离开大海，在浅水中也会被虾捉弄，无法施展自己的本领。比喻强者如果处在不利的境地，反而会遭受弱者的欺侮。

戏：戏弄。

宁养一条龙，不养十个熊

比喻宁愿培养一个出类拔萃的人，也不愿培养十个才能平庸的人。

戏子穿龙袍，假的

演员在戏台上穿起龙袍装皇帝，其实是假皇帝。比喻虚假。

戏子：旧社会时对演员的不尊重的称呼。

龙袍：皇帝穿的袍服。

一龙生九子

传说龙生九子，都不成龙，而且形貌性格也不一样。指虽然同出一源，但性情、表现都各不相同。也写作“龙生九子不成龙”。

龍 典故

白龙鱼服

白龙化为鱼的传说。白龙变成一条鱼在河里游玩，被名叫豫且的渔人一箭射伤了眼睛。它负痛向天帝去告状，要求治渔人的罪。天帝说：渔人是以捕鱼为业的，他射的是鱼不是龙，有什么罪呢？（见《说苑·正谏》）后用“白龙鱼服”比喻贵人隐藏身分，化装到民间去。

乘龙

好的女婿。东汉的太守桓焉有两个女儿，一个嫁给孙儁，一个嫁给李元礼。当时人们认为桓焉的两个女儿都乘龙了。意思是说得婿如龙。（见《艺文类聚》引《楚国先贤传》）后用“乘龙”称赞别人的女婿。

伏龙凤雏

东汉末年，蜀主刘备到襄阳访问司马徽，向他询问天下大事。司马徽说：一般儒生俗士怎么能够通晓此等大事，当地有伏龙凤雏先生，去问他们吧。刘备问谁是伏龙凤雏。司马徽答是诸葛孔明和庞士元。伏龙又作卧龙。（见《三国志 · 蜀书 · 诸葛亮传》裴松之注）后用“伏龙凤雏”比喻杰出有才能的人。

龙、凤：古代认为是两种神灵之物。

龍 风俗

戴龙尾

汉族民间传统节日风俗。流行于黑龙江、吉林、辽宁等地。每年农历端午节时，巧手的姑娘、媳妇、老奶奶将红、黄布剪成古钱形，将蒜茎剪成小竹节，把布片放在蒜茎的两端，用线串起，长一尺左右，尾端缀丝穗，样子像龙，称为“龙尾串”。五月初五晨，人们把龙尾串佩戴在孩子的胸前。民间以为，戴龙尾可以驱邪祟，保平安。

灯板龙

亦称“凳板龙”“挡龙”。汉族民间龙灯的一种。流行于浙江温州地区。用樟木或泥木雕刻制成。龙身有二十节（档），每节长五尺，各置一组戏曲人物造型，有《牛郎织女》《白蛇传》《西游记》《济公传》等。龙头、龙尾上，还雕有亭台楼阁，都描金上彩，显得富丽堂皇。春节出舞巡游，由专人演唱参龙调，祝颂吉词，祈求人寿年丰，合境平安。正月十六日夜收灯。

龙船节

也叫“龙舟节”。苗族传统节日。流行于贵州东南部和湖南西部。多在农历五月初五举行，节期三天。节日里，人们盛装赶到江河边，观看龙舟比赛。赛后进行对歌，男女青年表演歌舞，欢度节日。有的地区还举行传统的跑马、斗牛、踩鼓和游方活动。

龙抬头

旧时汉族传统节日。流行于南北各地。民间称农历二月初二为龙抬头日。在北方，当天早晨，妇女以棍敲锅沿，称“震虫”；用彩纸、草节串悬在梁上，称“穿龙尾”。妇女停止针线，怕伤龙眼。并有吃龙鳞饼、龙须面、枣糕等风俗。此日小儿始进书房，称为“占鳌头”。

舞火龙

又称“火烧龙”。汉族民间特种龙舞之一。流行于广东丰顺县和连山壮族瑶族自治县。相传清朝已有此俗。龙身用纸扎成，系上鞭炮，起舞者必须赤膊袒胸，任由炮火烧在身上，直到火龙被烧掉。传说是为了纪念一位为民斩除恶龙的英雄张共而兴起的。民间多在春节、元宵之夜举行，用来保人畜平安，祈求丰收。现在大都作为一种喜庆娱乐。

龍 神话

大鹗和鵕鸟

——《山海经·西山经》

钟山山神烛龙有个人面龙身的儿子名叫鼓。鼓和恶神钦䲹同谋，在昆仑山南边把天神葆江杀死。天帝知道后，把他们一齐处死在钟山以东的瑶崖。两个凶神恶气不散。钦䲹变成一只大鹗，形状像雕，黑色的斑纹，白脑袋，红嘴壳，老虎的爪，叫声凄厉，它出现在哪里，哪里就要发生战争。鼓变成了一只鵕鸟，形状像鹞鹰，红脚爪，黄斑纹，白脑袋，鸣叫声嘶哑，它出现在哪里，哪里就会大旱。

应龙杀死蚩尤和夸父

——《山海经 · 大荒东经》

应龙是中国古代神话传说中的神龙，其形象为生双翅，鳞身脊棘，头大而长，前额突起，颈细腹大，四肢强壮，外貌独特。它善于兴云作雨，是古代传说中的一种雨神。据《山海经 · 大荒东经》记载，应龙杀死了蚩尤和夸父，因此下界多次发生旱灾。人们便作出应龙的形状，以求得雨水。《山海经 · 大荒北经》也有记载：“应龙已杀蚩尤，又杀夸父，乃去南方处之，故南方多雨。”

应龙在与蚩尤和夸父的战斗中取得了胜利，结果无法返回天庭，从而影响了人间的气候，导致了干旱。这个故事反映了古人对于自然灾害的理解和解释。

龍 寓言

次非斩蛟龙

——《吕氏春秋 · 知分》

楚国有个叫次非的人，在吴国干遂（今江苏苏州市西北）这个地方得到一把宝剑。他过江返回楚国，船到江心，有两条蛟龙围住船。次非问船夫：“你多年驾船，见到过船被蛟龙缠住，而船上的人能活下来吗？”船夫说：“从来没见过。”次非捋起袖子，脱掉外衣，拔出宝剑说：“这两条蛟龙不过是江中的一堆腐烂骨肉，没什么可怕的！”说罢，跳进江里，用剑斩杀了两条蛟龙，一船的人都得救了。

次非：人名。

◇在生死存亡的危急关头，只有英勇斗争，才会有生路。

龙

潘方尔肖形印

外国动物故事

智慧之龙与山谷村庄

[瑞士]

在瑞士阿尔卑斯山脉的深处，有一个被冰雪覆盖的美丽山谷，山谷中有一个小村庄，村民们依靠放牧和种植为生。然而，地处寒带，村庄一直面临严寒的挑战，冬季漫长而冷酷，作物常常无法生长，村民们常因饥寒交迫而苦恼。

在村庄周围的群山中，流传着一个古老的传说：在最高的雪山之巅，栖息着一条智慧之龙，名叫泽瑞尔。这条龙守护着这片山谷，它的存在不仅代表力量，更象征着希望与智慧。

一个冬日，村庄遭遇了数十年来最严酷的暴风雪。大雪封住了山路，粮仓马上就要见底了。村民们在寒冷中苦苦挣扎。年轻的牧羊人卢卡斯决定寻求传说中泽瑞尔的帮助。他相信，如果能找到智慧之龙，村庄就能得到拯救。

卢卡斯踏上了通往雪山的艰难旅程。狂风呼啸，雪花打在他的脸上，但他咬紧牙关，坚定地向前走。经过几天的攀登，他终于来到了传说中的山巅，一片寂静的冰雪世界。就在他几乎绝望时，一阵轻柔的风声传来，伴随着蓝色的光辉。一条巨大的龙出现在他面前，正是泽瑞尔。

泽瑞尔低下头，注视着卢卡斯，声音如同寒风般轻柔但温暖:“年轻人，你为何冒险来到此地？”

卢卡斯不顾疲惫，跪下请求道：“伟大的泽瑞尔，我们的村庄正遭遇前所未有的严寒和饥荒。请赐予我们帮助，让村民们能度过这场灾难。”

龙的眼中闪过一丝怜悯与深思。它展开巨大的翅膀，发出低沉的声音：“人类的坚毅与希望是最宝贵的力量。我可以给予你智慧之火，这火焰不会燃烧，但能驱散寒冷，为村庄带来温暖。你必须用善意和团结去维护它。”

说完，泽瑞尔张开巨口，吐出一团闪耀着冰蓝光芒的火焰。火焰如一颗明珠般飘落到卢卡斯手中，温暖而轻盈。他连声道谢，小心翼翼地将火焰带回村庄。

回到村庄后，卢卡斯将智慧之火置于村中央的广场上。火焰散发出柔和的光芒，温暖迅速蔓延开来，融化了积雪，为冻僵了的村民带来了生机。作物也在奇迹般的温暖中重新发芽，村庄恢复了活力。

村民们感激智慧之龙泽瑞尔，也感激卢卡斯，他们明白了团结和希望的重要性，更记住了：善意和智慧能战胜一切困难。每当冬季来临时，村民们会聚集在智慧之火旁，讲述智慧之龙泽瑞尔的故事，赞颂它的智慧为全村带来的奇迹。

邓明书法　潘方尔水墨漫画（局部）

shé

蛇

《辞海》中的释义

1. 爬行动物。详“蛇目”。

蛇目（Serpentes）爬行纲的一目。体型细长。体表被角质鳞。无肩带。四肢退化，少数原始种类在肛孔两侧有呈爪状的后肢残余。舌细长而深分叉。眼睑愈合为罩于眼外的透明膜，固定不能活动。无外耳及鼓膜。下颌通过方骨与脑颅相接，左右下颌骨之间以韧带相连，故口可张得很大。无胸骨。交接器一对。卵生或卵胎生。约有 2500 种；中国约有 208 种。如蟒蛇、锦蛇、游蛇、眼镜蛇、海蛇、蝰蛇、蝮蛇等。

组词

蛇蚹 / 蛇矛 / 蛇吞象 / 蛇蝎 / 蛇行 / 蛇珠 / 蛇足

杯弓蛇影 / 虎头蛇尾 / 画蛇添足 / 惊蛇入草 / 灵蛇珠 / 龙蛇飞动 / 牛鬼蛇神

奔蛇 / 春蚓秋蛇 / 打草惊蛇 / 封豕长蛇 / 弓蛇 / 龙蛇 / 腾蛇 / 一龙一蛇

巳蛇

邓明书法

巳蛇是十二生肖中“蛇”的全称，古人认为巳时青草正茂，蛇隐其中而不伤人，而列为地支的第六位。夏朝，尊蛇为图腾。传说中补天的女娲，也是人面蛇身。汉代许慎《说文解字》有载；明代李时珍《本草纲目》记载了蛇的药用价值。此外，有杯弓蛇影、打草惊蛇、画蛇添足等典故，以及《白蛇传》的故事。其作为生肖的象征意义，在于美丽多姿、灵活多变、以柔克刚。

Snake

蛇

郑辛遥简笔画

蛇无足

《战国策》中“画蛇添足”的故事，在我国可谓妇孺皆知：

有一家楚国人，祭过了祖宗以后，便将一壶祭祀时用过的酒，留给所有的办事人员喝。

办事人员很多，仅仅一壶酒，到底给谁喝呢？老半天决定不下来。有人提议：各人在地上画一条蛇，谁画得好画得快，就把这壶酒给他。

大家都认为这办法很好。

有一个人画得很快，一转眼，就把蛇画好了，这壶酒就归他所得。这时，他回头看看别人，都没有画好，再看看自己画的那条蛇，他便左手拿了酒壶，右手拿了一根树枝，得意洋洋地说：“你们画得好慢啊！等我再画上几只蛇脚吧！”

正在他画蛇脚的时候，另一个人已经把蛇画好了。那人画好蛇，就把酒壶夺了过去说：“蛇是没有脚的，你怎么画上了脚？第一个画好蛇的是我，不是你哩！”那人说着，就理所当然地喝起酒来。

蛇是没有脚的，这个楚国人自作聪明，多此一举，添上了脚，结果弄巧成拙，失掉了一壶酒。所以直到今天人们仍然常常在用“画蛇添足”或“蛇足”来比喻多此一举，弄巧成拙。

我国明朝有一个叫叶子奇的学者，他曾经写过一本《草木子》的书，就专门谈到了十二生肖的“不足之形”，也就是专门谈论十二生肖的缺陷。叶子奇还特别指出，正是存在像蛇没有脚、兔子嘴唇像个豁喇叭等缺陷。这12种动物才被选中为十二生肖。叶子奇是这样说的：

> 方术家用12种生肖对应12个时辰，但每一个生肖的动物都存在着不足之处。如鼠没有牙，牛有牙无齿，虎没有脾，兔子缺唇，龙没有耳朵，蛇没有脚，马没有胆，羊没有瞳孔，猴子没有臂部，鸡没有肾，狗没有胃，猪没有筋。作为人却没有这种不足和缺陷。

一个明朝的学者，对动物解剖缺乏科学的知识，他有关动物的内脏器官的说法今天看来是站不住脚的，但动物外形的缺陷，却是他已经注意到了的。当然，叶子奇的本义是以动物的缺陷来衬托人的完美，在这个世界上，唯有人类是最高贵、最完美的生灵，但他对十二生肖存在的缺陷所作的说明，也为我们认识十二生肖提供了一个参考材料。

蛇 诗词·名句

望海楼晚景①

五绝·其二

宋·苏轼

横风吹雨入楼斜，壮观应须好句夸。
雨过潮平江海碧，电光时掣②紫金蛇。

注释

① 望海楼晚景：望海楼，在杭州凤凰山腰，可以望见海潮。

② 掣：闪。

作者简介

苏轼（1037—1101），北宋文学家、书画家。字子瞻，号东坡居士，眉州眉山（今属四川）人。与父洵弟辙，合称“三苏”，俱被列入“唐宋八大家”。词开豪放一派，对后世很有影响。《念奴娇·赤壁怀古》《水调歌头·丙辰中秋》传诵甚广。

解说

呼呼的大风带着雨点，直扑进望海楼里。这样的景色，我一定要用好的诗句来夸一夸。不料诗还没有写好，风过去了，雨也停下了，潮水平静下来，钱塘江看上去一片碧绿，只有天空中不时闪过电光，好像乌云里时隐时现的紫金蛇。

我是一条蛇

潘方尔水墨漫画

虫豸诗·巴蛇[1]三首·其一

唐·元稹

巴蛇千种毒，其最鼻褰蛇。[2]
掉舌翻红焰，盘身蹙白花。

注释

①巴蛇：中国神话中的巨蟒。

②褰蛇：又名白花蛇、蕲蛇。为爬行纲蝰科动物尖吻蝮蛇的去脏全体，以健壮鲜活者为佳。

作者简介

元稹（779—831），唐代诗人。字微之，河南（府治今河南洛阳）人，居京兆万年（今陕西西安）。举贞元九年（793年）明经科、十九年书判拔萃科。

解说

这首诗描绘了巴蛇拥有千种毒，其中最危险的是鼻褰蛇，它的舌头掉下时会翻红如焰，身体盘绕时会显露出白色的花纹。诗中强调了巴蛇的恶劣和难以控制的危险，营造出一种紧张、恐怖的氛围，表达了对自然界中可怕力量存在的认知和敬畏之情。

一蛇吞象，厥大何如？

——先秦·屈原《天问》

琐文结绶灵蛇降，蠖屈螭盘顾视闲。

——唐·李绅《灵蛇见少林寺》

吉凶在人不在物，一蛇两头反为祥。

——宋·欧阳修《鬼车》

灵蛇不与世相关，时复蜿蜒水石间。

——金末元初·元好问《台山杂咏五首·其五》

纵然身死犹遗直，不是偷从背后量。

——清·郑燮《比蛇》

蛇 成语

杯弓蛇影

晋朝时，乐广在家里请客。客人看见酒杯里有蛇，回家后老是不放心，因而得了病。乐广得知后，就把那位客人再请来，仍旧坐在原来的位置上喝酒，让客人知道杯中不是蛇，而是墙上角弓的影子。那客人恍然大悟，病就好了。（见《晋书·乐广传》）比喻疑神疑鬼，受了一场虚惊。

打草惊蛇

打草惊动了躲藏在草丛中的蛇。比喻做机密的事行动不小心，使对手觉察后有所防备。

虎头蛇尾

老虎的头大，蛇的尾巴小。比喻开头大有声势，末尾劲头很小，做事有始无终。

惊蛇入草

形容草书写得矫健而活泼。语出《宣和书谱·草书七》：“若飞鸟出林，惊蛇入草。”

牛鬼蛇神

牛头鬼，蛇妖精。泛指妖魔鬼怪。比喻形形色色的坏人或丑类。

蛇 俗语

打蛇打七寸

要想把蛇打死，就要打准蛇身上的要害部位。比喻打击对手要拣最要害的地方，才能成功。

七寸：蛇身上最要害的部位。

打蛇不死，后患无穷

打蛇没有把蛇打死，以后蛇会更凶狠地咬人。比喻消灭恶势

蛇年吉祥

赵澄襄剪纸

力不彻底，以后恶势力会更猖狂地作恶，造成更多的灾难。

患：灾难。

毒蛇口中吐莲花

比喻极为阴险狠毒的人讲出十分好听的话，装出一副非常善良的样子欺骗人。

恶虎难斗肚里蛇

凶狠的老虎也斗不过躲藏很深的蛇。比喻最难对付的是自己身边最亲近的人所搞的阴谋。

见蛇不打三分罪

比喻见到坏人或害人的东西不去消灭，是有罪的。

强龙不压地头蛇

外来的强权不触犯当地的恶霸，也泛指外来的力量再强，也对付不了地方势力。

地头蛇：比喻地方上的恶势力。

蛇入竹筒，曲性犹在

蛇钻进笔直的竹筒里，它那弯曲爬行的本性并没有改变。比喻坏人从恶的本性难以改变。

是狗就会吃屎，是蛇就要咬人

比喻只要是坏人，就一定要做坏事。

一朝被蛇咬，十年怕井绳

一旦被蛇咬了，以后就会一直害怕见到像蛇样子差不多的草绳。比喻遭到伤害之后，心里一直存有后怕。

一朝：一天。

十年：虚指时间很长。

嘴里念弥陀，心赛毒蛇窝

指有些人嘴里讲仁义道德，内心却像蛇一样狠毒。

弥陀：“阿弥陀佛”的简称，信佛的人常常诵念，作为仁慈的象征，也用来念了求菩萨保佑自己。

蛇 典故

春蚓秋蛇

南朝梁的萧子云在江南是位有名望的书法家，但在真正的书法行家看来他仅仅能写成书体，缺乏应有的骨力和气魄。他的笔画像春天弯曲的蚯蚓，笔迹如秋天盘结的长蛇，有点名不副实。（见《晋书·王羲之传》）后用“春蚓秋蛇”比喻书法拙劣不工。

举笏击蛇

宋代孔道辅当州官时，有一条蛇出现在道观的大殿中，满城的人都以为是神。州里的大小官员都去祭拜。只有孔道辅走上前，用手中笏板把蛇头打碎。观看的人当时都非常吃惊，过后都很佩服他的胆量。（见《宋史·孔道辅传》）后用“举笏击蛇”指胆识过人。

笏（hù）：古代大臣上朝用的手板。

两头蛇

形状好像有两个头的蛇。一个头上有口有眼，另一个头上无口无眼。传说凡是看到两头蛇的人，必定要死。楚国的孙叔敖见到了两头蛇，但他为了不使其他人再受害，便杀死此蛇并埋好。结果孙叔敖并没有死。（见贾谊《新书》）后用“两头蛇”比喻阴险凶恶的人。

灵蛇珠

相传春秋时隋国国君一次外出，遇见一条被打伤的大蛇，就用药给它敷伤口。后来被救活的蛇从江中衔来一颗闪闪发光的珍珠，来报答国君的搭救之恩。那是一颗很大的夜明珠。（见《淮南子·览冥训》高诱注）后用“灵蛇珠”泛指珍珠珍宝，或称赞人的才德优美。用“衔珠”指酬报恩德。

蛇风俗

巴蛇眼

亦称“补蛇眼”。汉族民间岁时旧俗。流行于湖南等地。民间认为农历九月九后，蛇开始进洞冬眠，至来年三月三后出洞。惊蛰后，民间除食用粑外，还用黏稠的粑堵塞屋舍前后的鼠洞，以为可防止入洞的蛇出洞伤人。

插柳节

白族民间节日。流行于云南大理等地。每年立春前的属蛇日举行。节日时，村中人家倾室而出，汇集到村外的河边排成长队，在两位长老的带领下，每人挥动两根柳枝，踏着鼓乐节拍，沿河而行。当行进到第十二步时，便将手中柳枝插到河边泥土中，然后又取两根柳枝继续踏歌前行。直到把柳枝全部插完为止。

钉面蛇

宋代汉族节日风俗。流行于汴京（今河南开封）地区。每年农历正月初一，人们用面粉做成蛇形，并准备好炒熟的黑豆和煮熟的鸡蛋。四更时，请三个姓氏不同的人掘地，逐件用铁钉各钉三下，念咒语，把面蛇全部埋于地下，以为能镇邪防病。

蛇盘盘

亦称“蛇婆婆”。汉族民间传统食品。流行于山西、陕西等地。面食的一种。用发酵的白面盘成蛇状，头部嵌两粒高粱当眼睛，嘴里含一枚铜钱，上笼蒸熟，钱为财，蛇为绳（神），取发财之意。

十二生肖：蛇

徐悲鸿

蛇 格言

打蛇勿死终有害

——清・王有光《吴下谚联》卷四

比喻除恶不除尽，必定遗留祸患。如《农夫和蛇》的故事：一个农夫在寒冷的冬天里看见一条蛇冻僵了，就把它揣进怀里，用暖热的身体温暖着它。蛇苏醒过来，用尖利的毒牙狠狠地咬了恩人一口。农夫临死的时候痛悔地说："我可怜恶人，结果害了自己。"

似蛇非蛇，似鱼非鱼

可能是蛇但不像蛇，可能是鱼但不像鱼，是个模糊定义。即"是是而非"的近义词，属于不肯定说法。

蛇躺一尺，人可横行

意思是当障碍物（如蛇）只占据了一小部分空间时，人们可以轻松地通过或绕过它。常用来形容在面对困难或挑战时，只要克服了小的障碍，就可以顺利前进。该句寓意深远，常用于鼓励人们在面对困难时保持乐观和积极的态度。

蛇贪小利，掉进大坑

比喻因为贪图小的利益而失去大的利益，掉进陷阱。

蛇 神话

巴蛇

中国神话中的巨蟒。黑身子，青脑袋，能一口吞下大象。巴蛇在洞庭湖为害渔民，神箭手羿在洞庭湖上射死了它。据说，巴蛇的尸骨堆在湖边，成了山陵，称为"巴陵"，在今湖南省岳阳城内西南角、洞庭湖边。

白蛇传

中国民间传说。南宋初年，白娘子同侍女小青清明节在杭州游西湖遇雨。书生许仙以雨伞相借。不久，白娘子以还伞为名，向许仙表白爱情，两人就结为夫妻，迁往镇江开设药店谋生。金山寺法海和尚见了许仙，说他面上有妖气，叫他在端午节让妻子喝雄黄酒。白娘子喝了雄黄酒显出白蛇原形，吓得许仙昏死过去。她与小青急忙飞到南极仙翁处盗来仙草，救活许仙。法海和尚又把许仙骗入金山寺，使夫妻分离。白娘子前去索夫。水漫金山寺后，与许仙在西湖断桥相遇，和好团圆。但法海和尚再度前去破坏，在交战中，白娘子因腹痛产子，神力不足而被压在西湖边雷峰塔下。她的儿子由小青抚养长大，学得一身本领，推倒雷峰塔救出母亲。母子俩要杀法海和尚报仇，法海和尚为逃一死，躲进蟹壳，成了永世不得超生的“蟹和尚”（蟹壳里，一个圆锥形薄膜的东西，看上去像是和尚披着袈裟、盘膝而坐的形状）。

担生

——北魏·郦道元《水经注·浊漳水》

中国传说中的神蛇。古时，有一书生路见一条小龙，就捡来喂养。每次出门总把蛇放在担中随行，给它起名“担生”。蛇长大了，挑不动，放到大泽之中。四十多年后，担生成了巨蟒，在大泽中吞食过往行人。一次，书生要从泽畔经过，有人劝他别去，免遭伤害。书生认为严冬时节蛇必冬眠，仍从大泽旁经过。忽有一条大蛇追赶而来，书生认出是担生，呼唤它的名字。担生本想吃人，听见叫声，低下头，许久才离去。当地县官得知这事，认为书生有妖术，把他抓住，准备处死。书生在狱中感慨万分：养了担生，反被担生害。不料，担生当夜就来相救，背负书生飞奔，把衙门攻陷成湖，县官成了湖中之鱼。

蝴蝶泉

中国山川名胜传说。云南洱海西岸的一个小山村里，有个蟒蛇洞。每年三月初三，蟒蛇要山民献出一对童男童女。猎人杜朝选决定为民除害，来到神魔涧，看见一条大蟒在沟里喝水，就向它放出一箭。第二天一早，他看见涧边有两个年轻女子洗血衣。他上前询问，才知她们是被大蟒抢来的民女。她们协助杜朝选偷取大蟒的宝剑，杀死大蟒。两个女子很敬佩杜朝选，要嫁给他做妻子，但他没答应，上山打猎去了。两个女子为找杀蟒英雄，走过山山水水，来到苍山脚下，还是未找到。她们在龙潭边痛哭，千愁万恨无法解开，一起跳入龙潭。杜朝选得知后，也伤心地跳入龙潭，立即从龙潭里飞出三只美丽的彩蝶，在水旁飞舞，繁衍后代。于是人们把龙潭改称“蝴蝶泉”。

蛇 寓言

涸泽之蛇

——战国·韩非子《韩非子·说林上》

洼地干枯没水了，水蛇准备搬个家。一条小蛇对大蛇说：“假如你在前面走，我在后面跟着，人们都知道是两条蛇，一定会有人打死我们的；如果我们俩嘴衔着嘴，你把我背在你身上走，人家看我们这个样子，就以为是神了。”大蛇同意小蛇的意见，就衔着、背着小蛇，穿过了大路。人们看见这两条蛇，果然都避得远远的，说：“这是神哟！”

泽：聚水的洼地。

◇装模作样的人本来没什么了不起，但总有人盲目地崇拜他、害怕他。

南海人食蛇

——明·刘基《郁离子》

一个住在南海岛上的人，很爱吃蛇。他到北方旅行，把蛇制成腊肉当作干粮。到齐国时，受到一位齐国人的盛情招待。南海人很高兴，就送给齐人一条有花纹的蝮蛇制成的干肉作为报答。齐人吓得吐出舌头，掉头就跑。南海人还以为他嫌礼太轻，叫仆人再找一条顶大的毒蛇送给他。

◇一片诚心做好事，也要切合实际，考虑效果。

螳螂斗蛇

——清·蒲松龄《聊斋志异》

有个姓张的人在山谷里行走，听见动物发出的惨叫声，就爬到岩石上去看。发现有条碗口粗的大蛇在树林里晃动摔打，柳树枝都给打断了。看起来好像蛇在跟什么动物搏斗，但怎么也看不见。再凑近点，才看清有只螳螂趴在蛇头上，用刺刀一样的前脚抓住蛇头，任凭蛇怎样翻腾，也甩不掉螳螂。过了一会儿，蛇死了，蛇头上的皮肉，已经被撕开了。

◇弱者只要敢于斗争、善于斗争，也能战胜强者。

蛇

潘方尔肖形印

外国动物故事

亚马孙的引路者

［巴西］

在广袤而神秘的亚马孙雨林中，流传着一个古老的传说：森林深处隐藏着一条智慧之蛇，名为赛露娜。它不仅拥有惊人的智慧，还能够解读丛林的秘密和危险。

一天，一个名叫卢卡斯的年轻探险家踏上了这片充满未知的雨林。卢卡斯从小听着父亲讲述亚马孙的神奇故事长大，但父亲却在一次探险中失踪。为了追寻父亲的足迹，卢卡斯决定亲自进入亚马孙雨林寻找父亲留下的踪迹，还有传说中可以医治百病的“生命之花”。

进入雨林后，卢卡斯发现这里比他想象的更加错综复杂。浓密的树冠遮天蔽日，卢卡斯在丛林中迷失了方向，他的水袋见底，干粮也所剩无几。就在他绝望时，一阵轻微的沙沙声从身后传来。卢卡斯惊恐地转过头，只见一条翠绿色的蛇盘在一棵古树的枝干上，眼神如同琥珀般闪烁着智慧的光芒。

“你是谁？”卢卡斯声音微颤，既紧张又好奇。

“我是赛露娜，”蛇缓缓开口：“亚马孙的引路者。你为何闯入这片雨林？”

卢卡斯既惊讶又欣喜，知道这正是传说中的智慧之蛇，便将父亲的故事与他寻找“生命之花”的心愿告诉了赛露娜。赛露娜静静地听着，眼中闪过一丝悲悯：“你拥有无畏的心，但前方的路充满危险。若要继续前行，你必须依靠智慧与勇气。”

赛露娜轻轻挥一挥尾巴，示意卢卡斯跟随。它在林间穿行，带领着卢卡斯穿越丛林中暗藏的陷阱。途中，他们遇到了毒蛇潜伏的沼泽地，赛露娜教导卢卡斯辨认毒蛇的痕迹，提示他安全的行路方式。

在一片阴暗的藤蔓森林中，卢卡斯的脚突然被一根藤蔓抓住，将他向上提起。卢卡斯惊恐不已，挣扎着试图摆脱，却越缠越紧。赛露娜迅速滑动到藤蔓上，用利牙轻咬藤蔓的结点。藤蔓松开了，卢卡斯跌回地面，感激地看着赛露娜。

“亚马孙不只是美丽，它也考验你的意志与智慧。”赛露娜轻声说道。

终于，他们到达了传说中的“生命之花”生长之地，一处被阳光笼罩的小空地，四周是高大的树木，花瓣闪烁着蓝紫色的光芒，仿佛吸收了雨林中千年的生命力。卢卡斯双手颤抖地采下花朵，泪水涌上眼眶。

赛露娜说道：“带着这朵花，回到你的世界去吧。记住，生命是雨林赐予的礼物，善待自然，才能真正理解它的伟大。”

卢卡斯深深鞠躬，眼中满是敬意和感激：“我永远不会忘记您的教诲和救命之恩。”

赛露娜微微点头，身影消失在葱郁的树叶间。卢卡斯怀抱着“生命之花”，踏上了回村庄的路，心中不仅充满了对父亲的思念，还有对大自然的敬畏和对未来的希望。

邓明书法　潘方尔水墨漫画（局部）

馬

mǎ

马

《辞海》中的释义

1. 动物名。哺乳纲，马科。
2. 虫类及草类特大者之称。如：马蜂；马蓼。
3. 计算用的筹。《礼记·投壶》："为胜者立马。"
4. (Mǎ) 姓。

组词

马弁 / 马伯六 / 马齿 / 马齿徒增 / 马肝 / 马革裹尸 / 马工枚速 / 马甲 / 马快

车水马龙 / 东风吹马耳 / 堕马髻 / 风马牛 / 归马放牛 / 金马碧鸡 / 老马识途 / 牛马走

鞍马 / 班马 / 筹马 / 出马 / 但马 / 诞马 / 非驴非马 / 弓马 / 害马 / 汗马

午马

邓明书法

午马是十二生肖中“马”的全称，古人认为午时地面阳气最足，马日行千里而四蹄不同时离地，采集天地阳气，而列为地支的第七位。古时，马既是交通运输工具，也是战争利器。《山海经》里有马的传说，汉代司马迁《史记》有“天马行空”的记载，此外还有“伯乐相马”“白马负经”“老骥伏枥”等典故。其作为生肖的象征意义，在于矫健雄伟、高昂豪迈、忠实诚信、傲岸不羁。

Horse

马

郑辛遥简笔画

马年肖马的掌故与趣事

马是农牧业文明的代表，出于当今工业文明发达的社会，对于今天的人们，尤其是青少年来说，马及相关的马文化似乎离我们日渐遥远。其实，马是人类的重要伙伴。在没有现代机械的农业社会，马是重要的动力来源，马拉着沉重的犁具，帮助农民开垦土地；马驮运种子、肥料等农耕物资到田间地头，在收获季节，马还把收获的农作物驮运回家，减少了农民的劳动强度。马又是长途运输的主要工具，人们日常出行的重要交通工具，商人可以用马队运输货物，将农产品、手工艺品等从一个地方运到另一个地方进行交易，马队的出现促进了地区之间的经济交流和贸易发展。

马吃苦耐劳的耐受力在家畜里是惊人的，也可以说是家畜里面最有灵性和最为高贵的动物，很像是动物中的“君子”，绝非言过其实。马的灵性很高，一般情况下，一匹马的智力相当于一个七八岁的孩子，它能根据自己的悟性来完成对同类及人之间的识别。在十二生肖中，马与十二地支配属“午”，故一天十二时辰中的“午时”——中午十一点至下午一点又称“马时”。按民间通俗的说法，中午太阳当顶，是阴阳换柱之时，一般的动物都要躺着休息，只有马还习惯地站着，甚至睡觉也站着，从不躺着，这样午时就非马莫属。马从出生到死亡，无论是进食还是睡觉，它都一直站立着。除非遇到不测之险，有病或者死亡的那一刻，一般情况下绝不会躺下。在古代，伴随人类互相争战的马，晚上还能为军人守营放哨。在人类历史上，不知有多少军人因为有马的保护才幸免于难。公马在种群里还承担守护之责，在抵御同类和野兽的攻击和侵袭时，它一直是勇敢的“卫士”。

古代社会，各个部落或国家之间经常发生战争。马在军事上发挥了重要作用，骑兵成为战场上的重要力量。农民连同他的马匹，在战争时期会被征召入伍，马的速度和冲击力使得骑兵在战场上具有很大的优势，可以迅速突破敌人的防线，给敌人造成重大打击。

马在农业社会的文学、绘画、雕塑等艺术形式中经常出现，成为了文化的重要象征。文人墨客们常常以马为题材，创作诗歌、散文、绘画等作品，赞美马的勇敢、忠诚和美丽。例如，唐代诗人杜甫的《房兵曹胡马》中写道：“胡马大宛名，锋棱瘦骨成。竹批双耳峻，风入四蹄轻。”生动地描绘了马的英姿。这些作品不仅丰富了人们的文化生活，也反映了人们对马的喜爱和怜惜之情。马术表演和比赛也是人们喜爱的娱乐活动之一。在一些重要的节日或庆典上，会有马术表演，骑手们展示高超的骑术，让观众们大饱眼福。丰富了人们的业余生活，也促进了马术的发展和传承。

正因为马是人类亲密的伙伴，历史上也留下了丰富的传说与掌故趣事。相传古时的马有双翅，叫天马，它能在地上跑、水中游、天上飞，是一种极有威力的动物，后来成为玉帝殿前的御马。但天马因受玉帝宠爱渐渐骄横，一次出天宫硬闯东海龙宫，踢死了守宫门的神龟。此事告到天宫，玉帝便下令削去天马双翅，压在昆仑山下 300 年不许翻身。200 多年后，人祖经过昆仑山，天马向人祖求救，人祖依言救它出来。天马为答谢人祖，同人祖来到人世间，终生为人们效劳。后来玉帝挑选十二种动物生肖时，马成为人类推选的动物之一，玉帝也因马立功赎罪且有助于人，允许马当上了生肖。

楚庄王是春秋时期的人，也是“春秋五霸”之一。此公非常宠爱他的一匹马，给它穿锦衣，养在富丽堂皇的房子里，睡没有帐幕的床，吃切好的蜜枣干，还派了 50 位仆人专门服侍。结果这匹养尊处优的马因为太过肥胖而死。楚庄王伤心欲绝，决定用大夫的礼仪来葬马。有个叫优孟的大臣，听说此事后，进宫号啕大哭，说凭楚国这样的大国，却只用大夫的礼仪葬大王的爱马太草率，应该用君王的礼仪来葬，这样天下诸侯都会知道大王是贱人贵马之人。楚庄王听后恍然大悟。

当然，历史上与马有关的典故很多，如“老马识途”“马革裹尸”“塞翁失马”“田忌赛马”“秦琼卖马”“指鹿为马”“伯乐相马”……人们耳熟能详，最后都留在中国的成语里，丰富了中国的语言文化。

历史上一些名人生肖属马，也留下了许多趣事，如三国时期孙吴著名将领吕蒙生于公元 178 年，那年是戊午年，他属马。他少年时依附姊夫邓当，随孙策为将，以胆气称。孙权统事后，吕蒙渐受重用。起初，吕蒙学识不高，但在孙权的劝说下发愤读书。后来鲁肃再次见到吕蒙时，发现他的学识和见解有了很大的提升，于是便有了“士别三日，当刮目相待”的典故。这也体现了属马的人积极进取、不断努力提升自己的特点。吕蒙发愤勤学的事迹，成为中国古代将领勤能补拙、笃志力学的代表，与其有关的成语有“士别三日”“刮目相待”“吴下阿蒙”等。时人及后世对吕蒙评价都较高，认为他勇谋兼备、才识渊博。

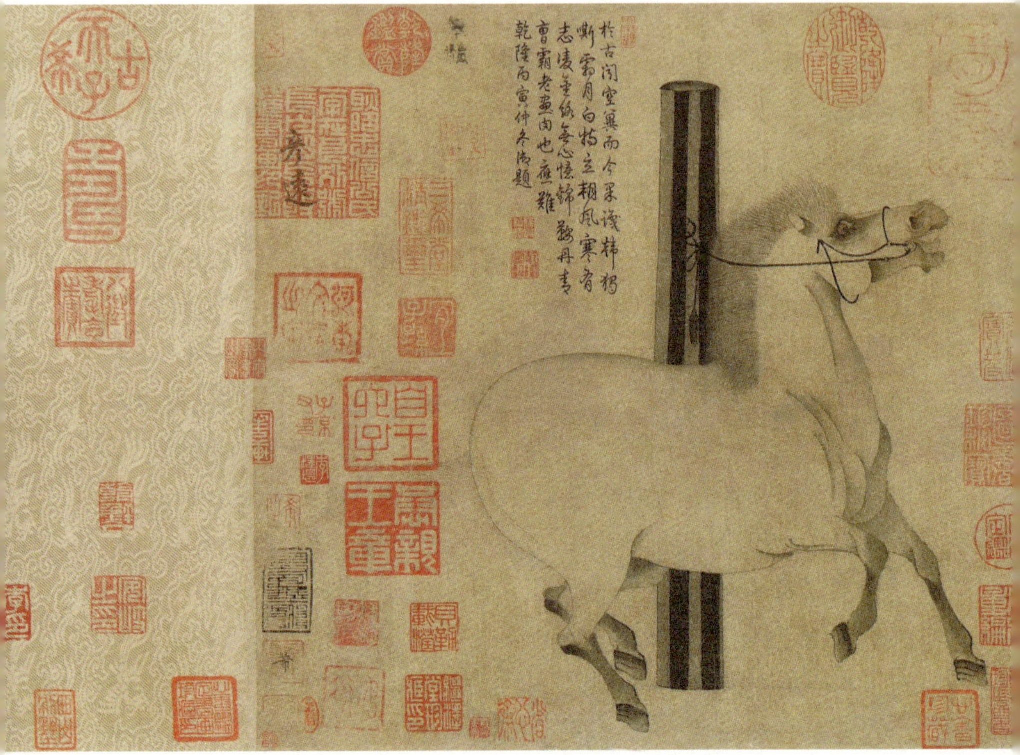

照夜白图（局部）

唐・韩幹

孛儿只斤·铁木真，尊号“成吉思汗”，蒙古汗国的建立者，世界史上卓越的军事家、政治家。成吉思汗出生于1162年，属马。他是大蒙古国的建立者，被尊为“成吉思汗”。铁木真自幼历经磨难，但他凭借着顽强的毅力和卓越的军事才能，统一了蒙古各部，建立了强大的蒙古帝国，为元朝的建立奠定了基础。他的征战和扩张，对欧亚大陆的政治、经济和文化产生了极其深远的影响，展现了属马人勇敢、坚毅和具有开拓精神的特质。

清代乾隆皇帝与刘墉同岁，生肖都属马。刘墉，人称“刘罗锅”，是清代乾隆、嘉庆年间的政治家、书法家和诗人。有一次乾隆问刘墉属什么，和珅故意称赞刘墉骑马技术高超，刘墉意识到和珅是在暗讽自己骑在乾隆头上，这可是大不敬之罪，而且自己一个臣子不能与皇帝同属一个生肖。于是刘墉回答说自己属驴，并解释道:“陛下是骏马，而微臣只是拴在房子边上接受主人家投喂的驴子，怎敢与陛下相提并论呢”，这一巧妙的回答让乾隆开心大笑，也算是留下一段趣话。

至于那些与生肖马相关的民间故事与传说，更是多得难以尽述。有一则“马神拯救村庄”的故事说：在一个遥远的村庄，经常遭受旱灾和洪水的交替侵袭，村民们苦不堪言。有一天，一匹神奇的马突然出现在村庄附近的山上。这匹马体形高大，毛色亮丽，眼神中透着灵性。它似乎知道村庄的困境，每当旱灾来临，它就会在山上奔跑，所到之处便会涌出清泉，滋润着干涸的土地；当洪水泛滥时，它会在洪水中驰骋，引导水流流向安全的地方。村民们对这匹马充满了感激和敬畏，认为它是上天派来拯救他们的神物。后来，玉帝知道了这匹马的行为，为了表彰它的功绩，将它列入了十二生肖之中。

有一则“马与书生的友谊”的故事，说从前有一个贫穷但勤奋好学的书生，他要去京城赶考。在路途中，他遇到了一匹受伤的马。书生心生怜悯，为马包扎伤口，并给它喂食。马在书生的照顾下逐渐恢复了健康，从此与书生形影不离。在赶考的路上，书生遇到了很多困难和危险，马都一直陪伴在他身边，帮助他渡过难关。有一次，书生在山中遇到了一群强盗，马勇敢地冲上前去，与强盗们搏斗，保护了书生的安全。最终，书生顺利地到达了京城，考取了功名。为了感谢马的陪伴和帮助，书生在回家后为马建造了一个舒适的马厩，并与它成了一生的挚友，后来，人们为了纪念这段人与马的深厚友谊，将马的故事传颂下来。

还有一则“马的报恩”的故事，有一个善良的农夫，他在一次外出时救了一匹受伤的野马。农夫将野马带回家中，悉心照料它的伤势，直到它完全康复。野马为了报答农夫的救命之恩，决定留在农夫身边，帮助他耕田劳作。在野马的帮助下，农夫的庄稼长得越来越好，生活也逐渐富裕起来。有一天，天庭的神仙看到了野马的善良和勤劳，决定将它召回天庭。野马不愿意离开农夫，但又不敢违抗神仙的命令。于是，它请求神仙让它以一种特殊的方式留在人间，继续帮助农夫。神仙被野马的忠诚所感动，便将它变成了十二生肖中的马，让它永远陪伴着人类，为人类服务。

马在十二生肖中具有丰富而积极的寓意，体现了不怕困难的顽强精神。纵观几千年来马陪伴人类的历史，展现出良好的精神品格，主要表现在：勇敢与拼搏的精神，马以勇敢无畏著称。战场上与将士们一同驰骋疆场，冲锋陷阵。它象征着勇敢地面对挑战，毫不退缩；自由而奔放的天性，喜欢在广阔的草原上自由驰骋。它代表着对自由的向往和追求，提醒人们不要被束缚和局限，要保持心灵的自由，勇于探索未知的世界；速度与效率的激情，马的奔跑速度极快，能够在短时间内到达远方，这一特点象征着高效、迅速地完成任务和实现目标；力量与坚韧的意志，马拥有强大的力量，能够承载重物并长途跋涉，无论遇到多么艰难的环境，都能坚持负重前行；忠诚与奉献的热忱，马对主人忠诚，尽心尽力地为其服务。

在中国文化里，马往往象征着积极向上、勇往直前。从“老骥伏枥，志在千里”等诗句中，可以看出人们对马的进取精神的赞美。马被视为有冲劲、有抱负的象征，鼓励人们在追求事业和人生目标时充满活力、不断奋进。“千里马常有，而伯乐不常有”，中国文化中常以马来比喻有才能、有潜力的人，期望他们能得到赏识和重用，发挥出自己的最大价值。在生态文明与人工智能的社会里，自然与人文的多样性能够常驻，期盼马儿可以在辽阔的草原上奔驰，也期盼人也能够生活得更加美好，“春风得意马蹄疾”，一马当先，策马驰骋，马到成功，马上发财，屡立“汗马功劳”，创造更多佳绩。

秋郊饮马图（局部）

元·赵孟頫

馬 诗词·名句

垓下歌①

秦末·项羽

力拔山兮气盖世②，时不利兮骓不逝③。
骓不逝兮可奈何④！虞兮虞兮奈若何⑤？

注释

① 垓下歌：垓下，古地名。在今安徽省固镇县东北，沱河南岸。
② 盖世：超过世界上所有的人。
③ 逝：奔跑。
④ 奈何：如何，怎么办。
⑤ 奈若何：拿你怎么办。若，你。

作者简介

项羽（前232—前202），下相（今江苏宿迁西南）人。

解说

秦末项羽和刘邦争夺皇位，在垓下战败。他对着心爱的乌骓马和美人虞姬唱起这支歌：我的力气能搬起大山，我的豪气谁也比不过。天时不利，乌骓马再也冲不出去，怎么办？虞姬啊虞姬，我该拿你怎么办？虞姬听后，拔出剑自杀了。项羽最后也在乌江边自杀。

天净沙·秋思

元·马致远

枯藤老树昏鸦，
小桥流水人家，
古道西风瘦马。
夕阳西下，
断肠人[1]在天涯。

注释

① 断肠人：指漂泊天涯、悲伤到极点的游子。

作者简介

马致远（约1251—1321后），元代戏曲作家、散曲家。号东篱，一说字千里，大都（今北京）人。

解说

一棵老树上挂着干枯的藤条，一只乌鸦栖息在树枝上。一条小河从桥下流过，桥边住着几户人家。我骑着瘦马，迎着西风，在古道上走了很久。太阳已经落山，我仍忧伤地漂泊在天涯，不知何处才是我的家！

白马饰金羁，连翩西北驰。

——三国魏·曹植《白马篇》

酒醺人半醉，汗湿马全骄。

——北周·庾信《咏画屏风诗二十五首·其一》

胡马大宛名，锋棱瘦骨成。
竹批双耳峻，风入四蹄轻。
所向无空阔，真堪托死生。
骁腾有如此，万里可横行。

——唐·杜甫《房兵曹胡马》

十里一走马，五里一扬鞭。

——唐·王维《陇西行》

春风得意马蹄疾，一日看尽长安花。

——唐·孟郊《登科后》

马龁枯萁喧午枕，梦成风雨浪翻江。

——宋·黄庭坚《六月十七日昼寝》

千里马万里风

潘方尔水墨漫画

馬 成语

千军万马

兵马很多。形容队伍庞大或声势浩荡。

犬马之劳

愿意为君王像狗马那样的奔走效劳。形容心甘情愿受人驱使。

犬马：古时臣子对君主称自己如供使唤奔走的狗马。

人仰马翻

人仰卧朝天，马翻倒在地。形容战场上的惨败，不可收拾。也形容混乱不堪。

天马行空

相传西域大宛产好马，称“天马”。行空，腾空飞行。天马在空中飞驰。比喻才思奔放，不受拘束，也比喻浮躁不踏实。

悬崖勒马

在山崖边勒住马。比喻已经临到危险的边缘，赶快回过头来。

悬崖：高而陡的山崖。

勒：收住缰绳。

招兵买马

招募兵士，收购打仗用的马。指军队增添兵马。后泛指组织队伍或扩充实力。

指鹿为马

秦朝丞相赵高想篡夺帝位，怕大臣们不服。有一次他将一只鹿献给秦二世胡亥，说：“这是马。”胡亥说：“丞相错了，怎么把鹿说成马呢？”赵高就问左右大臣，大臣们有的沉默不语，有的说是马，有的说是鹿。事后，赵高把说鹿的大臣都杀害了。（见《史记·秦始皇本纪》）比喻故意颠倒是非、混淆黑白。

蛛丝马迹

从蜘蛛丝，可以找到蜘蛛在哪里；从马蹄的痕迹，可以看出马奔去的方向。比喻事情经过后留下的隐约可寻的线索和迹象，现通常用于案情侦破之类的场合。

蛛丝，蜘蛛结网的丝。

马迹，马蹄留下的痕迹。

馬 俗语

东风吹马耳

东风从马耳边吹过，马儿毫不在意。比喻不把别人的话当一回事。

好马也有失蹄时

比喻水平高的人有时也会有失误。

失蹄：摔跤。

好马不吃回头草

比喻做事不反悔，不走回头路。

老将出马，一个顶俩

比喻经验丰富的老年人出面办事，作用很大。

马上造房子

在马背上造出来的房子，没有牢靠的基础。比喻对事情只求应付，说话办事靠不住。

马行十步九回头

马只走了十步竟回头看了九次。形容十分不忍离去。

九：形容次数多。

马粪表面光，里头一包糠

比喻空有好看的外表。

光：光滑。

马屁拍到马脚上

指拍马没有拍到点子上，没

有收到预期的效果，反而坏了事。

马善被人骑，人善被人欺

马驯良会被人坐骑，人老实会被别人欺侮。

马尾巴搓绳，合不了股儿

用马尾巴搓绳，不能合成一股儿。比喻人不齐心，不能合成一股力量。

马行千里，无人不能自往

马虽能行走千里，如无人驾驭就不能自己前往。比喻人虽有出众的才能，如无人举荐就无法建立功业。

三钱买匹马，自夸自骑

花很少的一点儿钱买了匹蹩脚的马，还一面骑着一面夸耀自己的马好。讽刺人自欺欺人，自我欣赏陶醉。

死马当活马医

比喻病人虽已垂危，但仍竭力挽救。也比喻事情虽已很难办成，还要作最后的努力。

望山跑死马

远远地能望见山了，要跑到那里却还很远，能把马累死。指看看好像就在眼前了，其实还很遥远。

心急马不快

人心里有急事，所骑的马即使跑得很快，也会觉得跑得慢。形容心情十分急切。

一马不行百马忧

比喻领头的不带头，大家就不知道怎样做才好。

又要马儿跑，又要马儿不吃草

比喻不想花一点代价，就想得到好结果。

马年鸿运

赵澄襄剪纸

馬 典故

非驴非马

西汉宣帝时，西域的龟兹国王喜爱汉族文化礼仪，在国内建造了一座汉式宫殿，模仿汉家的生活方式。邻近龟兹国的人嘲笑说:“驴非驴，马非马。”（见《汉书·西域传下》）后用“非驴非马”比喻不伦不类的事物。

风马牛

春秋时，齐桓公率领诸侯的军队，侵袭了蔡国后，又去攻伐楚国。楚成王派使者到齐国军营里去说理:你们齐国人住在北方，我们楚国人住在南方，相隔数千里，即使两国马牛走散，也不至于跑到对方境内，想不到你们的兵马竟践踏我们的领土，这是为什么？（见《左传·僖公四年》）后用“风马牛”“风马牛不相及”比喻两件事情毫不相干。

风：走失。

骥服盐车

千里马被用来拖拉盐车。春秋时，相马专家伯乐看到一匹千里马拉着沉重的盐车上太行山。那匹马用尽全身力气，还不能把盐车拉上山去。伯乐非常难过，走过来卸下车辕，并脱下自己的衣服给它披上，很怜惜它。千里马便仰头长鸣，声振天外，好像遇见了知己。（见《战国策·楚策四》）后用“骥服盐车”表示有才能的人得不到重用。

骥：千里马。

结驷连骑

春秋时孔子的学生原宪隐居在卫国的乡间。子贡作为卫国的丞相，乘坐着四匹马拉的车子，后面跟着接连不断的骑马的人，进入偏僻的巷子去拜访原宪。（见《史记·仲尼弟子列传》）后用“结驷连骑”形容高官显贵出行时车马接连不断的阔绰场面。

驷：四匹马拉的车。

骑：骑马的人。

马跃檀溪

东汉时，刘备率军驻扎在军事要地樊城。荆州的刘表请他到襄阳赴宴。席间刘表部下的蒯越、蔡瑁想暗害刘备。刘备发现后假装上厕所，骑上他的的卢马逃走。跑到襄阳城西的檀溪时，马掉进水里不能上岸。刘备着急地说：的卢，今日太危险了！你可要努力呀！骏马一下子跳起三丈高，越过了檀溪。（见《三国志·蜀书·先主传》裴松之注）后用“马跃檀溪”表示骏马驰骋战场。

檀溪：古溪名，在今湖北省襄阳县西南。

骑者善堕

《淮南子·原道训》中说：善于游水的人往往被水淹死；惯于骑马的人常常从马上摔下来。他们所喜欢、擅长的东西，反而会带来灾害。后用“骑者善堕”比喻擅长于某事的人却容易疏忽大意，而招致意外的失败。

堕：掉下来。

千金市骨

战国时燕昭王向郭隗请教，如何招揽贤才？郭隗向他讲了一个故事：相传有位国王，出价千金，购买千里马，可是整整三年也没有买到一匹。这时有位侍臣自愿为国王去买。结果用五百金买到了千里马的头骨。国王生气地说：“我要的是活马，死马头骨有什么用？”侍臣说：“一匹死马头骨大王都肯出五百金的高价购买，天下的人从此知道大王真心诚意要买千里马，好马很快会自动送上门来的。”果然不到一年，就有人将三匹千里马献给国王。（见《战国策·燕策一》）后用“千金市骨”比喻寻求贤才，用“骏骨”比喻杰出的人才。

上驷

上等马。齐国的诸公子和田忌骑马赌射,而田忌的马差得多,著名军事家孙子对田说：我能让你取胜。用你的下等马对付别人的上等马；用你的上等马对付别人的中等马；再用你的中等马对付别人的下等马。三次比赛完毕,田忌两胜一负,最后赢得了千金。(见《史记 · 孙子吴起列传》）后用“上驷”比喻上等人才或事物中的精品。

馬 风俗

飞马拾银

柯尔克孜族民间体育活动。流行于新疆柯尔克孜族地区。每逢婚礼和过乃孜时节举行。在场地中心挖一个长 15 厘米，宽、深各 10 厘米的坑。把各种银币放在坑中。拾银手从 50 米外策马飞驰而来，在过坑前的瞬间，俯身拾银币。按规定，马不能停蹄，否则算犯规。参加者每人轮流拾银三次，根据拾银时马跑的速度、拾银技术和三次拾银总数计算成绩，进行奖励。

马奶节

蒙古族民间传统节日。流行于内蒙古锡林郭勒草原。每年农历八月末举行,节期一天。清晨,牧民们身着盛装，携带马奶酒,骑马或乘车汇集一处,杀羊宰牛。太阳升起时赛马,然后分别饮宴、祝酒。人们在马头琴声中吟诗唱歌，尽情欢乐，直至夜晚。

马球

史称“击鞠”等。蒙古族民间马上游戏和运动项目。流行于内蒙古等地。相传唐初由波斯(今伊朗）传入，称“波罗球”。后传入蒙古，相沿至今。球状小如

十二生肖：马

徐悲鸿

拳，以草原、旷野为场地。游戏者乘马分两队，手持球杖，共击一球，以打入对方球门为胜。

跑竹马

亦称“跑马灯”。汉族民间节庆舞蹈。流行于全国各地。由汉族儿童游戏“竹马”演化而来。用竹扎纸糊的马头和马尾，分别绑在扮演者前胸和后臀，夜间游行，里面点燃烛火。表演时，由若干人组成“马队”，成群结伙，边演边唱。有时配合锣鼓乐队游行演唱，演员轮换或分组表演。在南方，一般由 10 ～ 13 岁男孩组成，在马头下挂一个小铃，跑起来叮当作响。表演时，由一个或两个孩子扮演马童，呼引马队出场，走成各种队形，舞蹈动作轻松活泼、情绪热烈奔放。

馬 格言

良马期乎千里，不期乎骥骜

——《吕氏春秋·察今》

一匹好马，只要求其能行千里远道，而不在乎能获得“骥”或“骜”这些千里马的美名。比喻任何事物，都应该注重实际功效，而不一定讲究它的名称。

期：希望，要求。

骥、骜：都是古代千里马的名称。

路遥知马力，日久见人心

——明·佚名《名贤集》

一匹马，路途走得遥远了，就会知道它力量的大小；一个人，与他交往的日子长久了，就会显得出他心地的善恶。

射人先射马，擒贼先擒王

——唐·杜甫《前出塞（之六）》

射敌人，先要射他的战马；

捉敌人，先要捉他们的首领。这是说要抓住解决问题的关键。

馬 神话

飞黄

——《山海经·海外西经》

中国传说故事中白民国出产的一种神马。样子像狐狸，背上长着两只角，行走如飞，又叫“乘黄”。骑上“飞黄”，寿命可到二千岁。

飞黄：即飞黄腾达。比喻人的地位，职位升得很快或突然变得有钱有势。

馬 寓言

骥遇伯乐

——《战国策·楚策四》

有一匹千里马老了，它拉着装满盐的车子攀登太行山。它吃力地伸展蹄子，膝盖不时打跪，尾巴粘上了马粪，皮肤也溃烂了，嘴里直吐白沫，浑身汗如雨下，疲累不堪。拉到半山腰，它每迈一步都很艰难，沉重的负担实在使它再也上不去了。正好这时，伯乐看到了，他下车牵开马，不禁哭了起来，立刻脱下自己的衣服给马披上。这匹老马非常感动，一会儿低头喷气，一会儿仰头嘶鸣，声音直冲云天，就像敲击金石一样清脆响亮，这是什么原因呢？因为它遇到了伯乐这样的知己啦！

◇如果没有伯乐，千里马就会遭

到摧残；如果没有爱才之心，人才就会被埋没。

马价十倍

——《战国策·燕策二》

有个人在集市上卖一匹好马。一连三天，没有一个人认出这是一匹好马，所以没卖掉。那人就去找识马的专家伯乐，说："我有一匹好马，想卖掉它，可是在集市上一连三天都没有一个人来跟我谈生意。我希望您到集市来，绕着这匹马专心地看一看，临走时再舍不得似的回头瞧瞧，我情愿付给您一天的报酬。"伯乐就照他说的，先转着圈仔细把马察看一番，临走时又回头瞧了几眼。果然，一下子马的身价就提高了十倍。

◇人才要靠有眼光的人去发现选拔，才不至于被埋没。

南辕北辙

——《战国策·魏策》

魏国的大官季梁在大路上遇到一个驾车往北走的朋友，那人跟季梁打招呼说："我马上到楚国去。"季梁对他说："你到南方的楚国去，怎么往北走啊？"他回答说："我的马好。"季梁说："你马虽然好，但你走的不是去楚国的路。"那人说："我有很多路费。"季梁说："你路走错了，路费再多有什么用？"那人又说："我的车夫驾车技术可高哩！"季梁说："你马越好，路费越多，驾车人的技术越高，你离楚国就越远！"

辕：马车前面驾牲口的木条。

南辕：驾车往南走。

辙：车轮留下的印痕。

北辙：留下向北行的痕迹。

◇如果方向错了，就算是有再好的条件，付出再大的努力，也永远不会到达目的地。

千里马

——刘基《郁离子》

有个人家里，母马养了匹好马驹，别人说："这是一匹千里马，应该送到皇帝的马棚去养。"他听了很高兴，就带着小马到京城献给皇帝。皇帝叫大臣查查书，大臣查书后说："这匹马倒是匹好马，可惜它不是千里马的产地出的，不能算啊！"于是就把它放到宫外的马棚去养。

◇只看资格、经历，不看实际才干，必然要埋没人才。

塞翁失马

——《淮南子·人间训》

在边塞村子里有个懂得道术的老翁，他家的马不知怎么的，不见了。邻居街坊都来安慰他，老翁说："马走失了，说不定还会带来好处呢！"过了几个月，果然马又跑回来了，还带来另外一匹骏马，这一下，人们又都来祝贺他。老翁说："这事还不知道会不会带来灾祸呢！"因为有了好马，儿子就常骑着玩，一天从马上掉下来，跌断了骨头，人残废了。街坊又都来慰问他，他说："这也不一定是坏事。"过了一年，胡人大举入侵，年轻力壮的都被征去当兵，边塞村子里的人十有八九都战死了，而这老翁和跛脚儿子却都活了下来。

塞翁：边塞的老翁。

◇在一定条件下，坏事会变成好事，好事也会变成坏事。

马

潘方尔肖形印

外国动物故事

天马与草原王子

［蒙古国］

在辽阔的蒙古国草原上，每年夏季，部落的牧民们都会聚在一起庆祝那达慕大会，比赛骑马、摔跤和射箭。传说在这片无垠的草原上，曾有一匹名叫腾格里的天马，它能飞越山脉，踏破风雪，帮助那些心怀善念的人渡过难关。

这年的夏天，一场意想不到的旱灾袭击了草原，河流干涸，牧草枯萎，牲畜日渐消瘦。年轻的草原王子阿尔泰，心中燃起了拯救家园的决心。“我们必须找到新的水源，否则整个部落将陷入困境。”阿尔泰的父亲大汗忧心忡忡地说道。阿尔泰下定决心：“我会去寻找传说中的腾格里天马，它一定能带我找到水源。”

清晨的第一缕阳光洒在草原上，阿尔泰骑上他心爱的黑马，带着干粮和水袋，独自向草原深处进发。夜幕降临，阿尔泰在一棵白桦树下休息。就在他闭上眼睛时，一阵低沉的马蹄声从远方传来。阿尔泰睁开眼，看到一匹银色的天马从云层中跃出，马鬃闪烁着星光，眼中透出智慧与力量。

“年轻的王子，为何唤我？”腾格里的声音如同风声般低缓而威严。

阿尔泰跪在地上，恳切地说道：“伟大的腾格里天马，草原遭遇旱灾，水源干涸，部落的生计岌岌可危。我请求您的帮助，指引我们找到新的水源。”

天马仰头望向星空：“寻找水源并非易事，你必须跨越险阻，展示出真正的勇气与智慧。”

阿尔泰毫不犹豫地点头：“我愿意接受任何考验。”

腾格里展开双翼，示意阿尔泰上马。天马载着他飞越群山，穿过狂风和电闪雷鸣。忽然，他们降落在一片干涸的河床前，地面裂开，散发着热气。

“这里曾是一条生命之河，但邪恶的沙魔封印了水源。”腾格里解释道，“要解开封印，你必须面对沙魔的试炼。”

就在这时，沙漠中涌出一阵旋风，凝聚成一只庞大的沙魔。它嘶吼着，目光凶狠：“凡人，你怎敢闯入我的领地？”

阿尔泰举起随身携带的弓箭，勇敢地迎上前去。沙魔召唤出无数沙尘，将阿尔泰团团包围。他瞄准沙魔的眼睛，用尽全力射出一箭，箭矢直中沙魔。沙魔发出一声凄厉的吼叫，逐渐崩解成沙粒，消散在风中。地面开始震动，清澈的泉水从干涸的河床中涌出，迅速流淌开来，滋润着干裂的土地。

腾格里看着阿尔泰，眼中满是欣赏：“你以勇气和智慧拯救了你的族人。记住，草原的真正力量不在于勇武，而在于心中的信念。”

阿尔泰感激地说道：“感谢您，伟大的腾格里天马。我将永远铭记这一教诲。”

天马再次展开双翼，消失在天际，而阿尔泰骑马带着水源的消息回到了部落。村民们纷纷跪地感谢天神与王子。草原恢复了生机，那达慕大会再度热闹非凡。

邓明书法　潘方尔水墨漫画（局部）

年

yáng

羊

《辞海》中的释义

1. 哺乳纲，牛科部分动物的统称。种类较多。有绵羊、山羊、黄羊、羚羊、青羊、盘羊、岩羊等。
2. 通“祥”。《汉元嘉刀铭》：“宜侯王，大吉羊。”
3. 通“佯”。见“相羊”。
4. (Yáng) 姓。

组词

羊碑 / 羊肠 / 羊车 / 羊羔 / 羊公鹤 / 羊毫 / 羊角 / 羊质虎皮 / 羊左

羝羊触藩 / 红羊劫 / 羚羊挂角 / 十羊九牧 / 亡羊补牢

尚羊 / 常羊 / 叱石成羊 / 公羊 / 告朔饩羊 / 方羊 / 歧路亡羊 / 攘羊 / 商羊 / 屠羊

未羊
邓明书法

未羊是十二生肖中“羊”的全称，古人因未时青草丰美，羊在未时吃草，而列为地支的第八位。《说文解字》曰 :“羊，祥也。”古人认为羊为五谷之神。《诗经 · 无羊》认为 300 头羊算作一群, 另外在《羔羊》《羊裘》中记载了羊皮衣服用于御寒。此外，有“三羊开泰”“亡羊补牢”“羊狠狼贪”等典故。其作为生肖的象征意义, 在于温和善良、仁爱和睦、纯洁无瑕。

Sheep

羊

郑辛遥简笔画

吉“羊”如意

如果今年是马年，有迷信的人，便会决心今年不结婚，为什么？因为怕明年生出个“小羊羔”来。如果家中有人属虎，那就更怕“羊入虎口”。其实，这是一种无稽之谈。因为他们根本不知道，自古以来，羊乃是一种吉祥象征。如果用现代语言来说，它比起我国举办的第 11 届亚洲运动会上的吉祥物熊猫“盼盼”来，资格要老得多，很早就是我国先民的吉祥物了。

羊在十二生肖中，大概是最温顺、最可爱的动物。羊在活动时是活泼、灵敏的，羊处在静态时，又显得神秘，神态庄重而威严。人们都知道《伊索寓言》中“狼与小羊”的故事，羊因软弱，终于成为凶狠残忍的狼的晚餐。但是，人们也许还不知道，在藏族民间故事中，机智的山羊却用它的智慧和力量斗败了极其残暴的狼。

那个故事是这样说的：

从前有一只聪明的山羊，每天在山上吃青草，在河下喝河水。一天，在路上遇到一只贪婪的狼。狼想吃掉这只山羊，山羊躲避已来不及了。

狼装得和和气气地问道：“山羊，你头上两个长长的硬东西有什么用啊？”

山羊十分得意地回答：“这是神赐给我的一对角，专门撞其他动物的。”

“两个角有多大力气呀？请你撞我一下试试看。”

“好！你站在那边不要动。一定叫你知道我的角的威力。”

狼站在那边，山羊跑着冲过来，从狼肚子底下钻过去了。山羊忙说：“啊呀，这次太低了。再来一次！”

狼又站在那边，山羊又跑着冲过来，这次却从狼身上跳过去了。山羊又说：“糟糕！这次太高了。再来一次，我不把你撞死才怪呢！”

狼以为山羊真的要撞死它，拔脚就跑。经过一条冰河，狼回头一看，山羊在冰山上坐着爬不起来了，又想过来吃羊。

山羊灵机一动，大声嚷道：“狼，你别跑等我脱下这双鞋来，立刻撞死你！”狼吓坏了一口气跑得无影无踪了，山羊这才保住了性命。

羊，在古代就是重要的家畜之一，在我国最早的一部诗集《诗经》中有一句说：“谁谓尔无羊：三百维群。”意思是说，谁说你没有羊？那一群足有 300 只。由此看来。远在 3000 年前黄河流域的畜牧业已相当可观。

我国古代的人们对羊十分喜爱，如《说文》上说：“羊者，祥也。”因为旧时民间常常把羊当作贡品和祭品，所以它必须是神圣祥瑞的东西。从文字的构造上看，“羊”也是个象形字。古时候，它与“祥”是相通的。古代的“吉祥”，大多写作“吉羊”，尤其在古代器皿的铭文上都这样写。《汉元嘉刀铭》上有“宜侯王，大吉羊”，可见“羊”

是与“吉”为伴，并且是代表着“祥”的。

除了文字，也有形象，广州就以5只羊为这座城市的标志，广州也因此称为“五羊城”或“羊城”。

这个象形的“羊”字，经常用于含有美好意义的文字中，与各种美食相联系，如“善”“美”“祥”“糕”“羹”，这些字都是由“羊”加上其他部分组成,“羹”是五味调和的浓汤。最有趣的是营养的“养”字,其繁写体写作“養”,把上下两部分拆开来看,就是“羊”与“食”——吃羊，大概古人认为，吃羊肉可以获得最好的营养吧。

“善”“義”（“义”的繁体字）这些人间美好的字也与羊字有关联,羊在古人的心目中,是一种善良有义的吉祥动物,所以“善”“義”两字才用“羊”来构字。表示众人团结而成的“群”字,也是从“羊”字旁。至于美丽的“美”字,也是“羊”和“大”的结合,所以有“羊大则美”的说法。

羊与人的关系密切，自古以来，中国文人围绕着羊而附会、杜撰的故事也特别丰富。

相传，远古时候的黄帝，他曾经做过一个隐有意象的梦，在梦里他看见一个人拿着千钧强弩，追赶着羊群。第二天早上醒来后，他回想了一下梦境的含义，能拉开千钧强弩的必是“力”，而驱赶羊群则是“牧”呀！黄帝心想:也许是神人在梦中降示,要我去找一位叫“力牧”的人来辅佐我。于是下令寻找“力牧”，没多久，果真找到了这位匡助黄帝的“力牧”大将，也真有“万夫不当之勇”。

汉高祖刘邦在担任亭长时，也曾做过一个奇特的梦。在梦里，他追赶着一只大羊，追着追着，终于追上了。他立即动手拔掉羊角，并用力扯掉羊尾巴。当他梦醒之后，心里十分诧异，便问几个乡中长老。

咩咩咩

潘方尔水墨漫画

几位乡老告诉刘邦,这正是吉利事,是他会成为帝王的吉兆。因为"羊"去了角，再除去羊尾部的一竖，不就是一个"王"字吗？且不说这个梦境依托是真是假，刘邦后来果真成了关中王，并进而扫平群雄，统一天下，建立了汉朝。

这两则民间传说,虽然出于梦境,但都寓意着"羊"为吉祥的预兆。

"吉祥"二字，自古就被认为是福瑞喜庆，诸事顺利的词语。《易经》中也有"吉事有祥"之说。它和表示"不吉"的凶相对，是美好预兆的意思。这个为人们熟知的专门用于传统祝愿的绝妙佳词，早在3500年前的殷商时代，就已经广泛流传于世了。古往今来，除了用它作出占卜吉凶的解说，也在人们的社交往来和节庆活动中用于相互祝贺，也用于日常生活中当灾祸来临时的自身祈愿。

"吉祥如意"，又是人类在向大自然作抗争，向邪恶势力斗争中普遍追求真善美的表现和表述。吉凶、祸福、安危、苦乐、顺逆等，都从各方面和人生紧紧联系在一起，成为人类传统文化心理矛盾中沉积的最基本的命运主题。人们在社会生活的各个方面,无论是农林牧渔，衣食住行，生儿育女，婚丧嫁娶，还是节庆仪礼，歌舞游艺，都无时无处不存在这个求吉避凶的积极主题。

远古人类在与自然、野兽及同类敌人的斗争中，形成的原始思维中世代传承下来的"吉祥如意"，它一方面以迷信的形式出现，就是通过祭祀，祈禳、占卜、符咒、禁忌及其他各种巫术手段，向所谓神灵求吉祈福的媚神、娱神形式；另一方面，通过传统民俗文化中吉祥物及其图饰所象征的真善美意义，表达人的向往和追求吉祥幸福的良好愿望的助人、娱人形式；尽管这后一种形式，或多或少地包含有迷信的成分，但是，在多少世纪的民俗传承中，那些神秘的迷信色彩已经逐渐消失，剩下来的主要是吉祥的象征。这些美好的象征便形象地构成了民俗形式，伴随着人们的生活向前发展，传达着人们的美好心愿。

在中国吉祥物中，有一种“三阳开泰”的艺术品，它就是明、清瓷画中的三羊图。画面上有 3 只姿态各异的羊仰望红日的纹图。这里的“羊”与“阳”同音同声，“三羊”就是“三阳”。《易经》上说：“正月为泰卦，三阳生于下。”意思是冬去春来，阴消阳长，有吉亨之象，常常作为否极泰来的年初颂辞。泰是通畅、安宁的意思，因此，老百姓用“三阳开泰”或“三阳交泰”为新的一年开头的祝颂词，是有其合理性的。

羊在钟、鼎、彝等古铜器的花纹上出现极多，和如意、鹿马、蛟龙、云纹、熊、双鱼、鸾山、象等纹图一起组合成这些古铜器上的装饰。此外，还有“九羊开泰”，那是以松、竹、梅这“岁寒三友”为背景，牧童放牧 9 只羊的纹图，“九羊”就是“九阳”，同样寄托着人们的美好的心愿：吉祥如意。

羊 诗词·名句

敕勒歌①

北朝乐府

敕勒川②阴山③下。
天似穹庐④，笼⑤盖四野。
天苍苍，野茫茫，风吹草低见牛羊。

注释

①敕勒歌：敕勒是古代北方的一个少数民族。这是一首敕勒人唱的民歌。
②敕勒川：敕勒族居住的平原。
③阴山：阴山山脉，在内蒙古自治区南部。
④穹庐：蒙古人住的圆形帐篷。
⑤笼：遮住，盖住。

解说

南北朝时流传于北朝的乐府民歌。歌咏了北国草原壮丽富饶的风光，抒写了敕勒人热爱家乡热爱生活的豪情，是一幅水草丰盛的草原全景图。

羊年康泰

赵澄襄剪纸

咏羊

宋·文天祥

长髯主簿[①]有佳名，羵首柔毛似雪明。
牵引驾车如卫玠，叱教起石羡初平。
出都不失成君义，跪乳能知报母情。
千载匈奴多牧养，坚持苦节汉苏卿。

注释

① 长髯主簿：羊的别称。

作者简介

文天祥（1236—1283），南宋大臣、文学家。字履善，一字宋瑞，号文山，吉州庐陵（今江西吉安）人。所作《过零丁洋》《正气歌》等诗，均为传统爱国主义教育题材。

解说

这首诗通过描写羊的形象和特性，赞美了羊的品质和美德，引用西汉苏武牧羊的历史故事，表达了对忠诚、孝顺和坚韧不拔精神的赞赏。

羔羊之皮，素丝五紽。

——先秦·《诗经·召南·羔羊》

黄羊饫不膻，芦酒多还醉。

——唐·杜甫《送从弟亚赴安西判官》

凤城来已熟，羊酪不嫌膻。

——唐·刘禹锡《送陆侍御归淮南使府五韵》

醪酒芳醇偏易醉，
胡羊肥美了无膻。

——宋·陆游《书事》

日高露曦原草绿，
羊散如云满山谷。

——宋·陆游《牧羊歌》

细肋柔毛饱卧沙，
烦公遣骑送寒家。
忍令无罪充庖宰，
留与儿童驾小车。

——宋·黄庭坚《戏答张秘监馈羊》

羊 成语

顺手牵羊

顺手把别人家的羊牵走。比喻乘方便之机把人家的东西拿走。

亡羊补牢

丢失了羊以后再补修羊圈。比喻发生过失以后再设法补救。

亡：丢失。

牢：关牲口的栏圈。

羊入虎口

羊落到老虎的口中。比喻陷入死地。

羊 俗语

挂羊头，卖狗肉

挂的是羊头，卖的却是狗肉。比喻表面上装好样、实际上干坏事的欺骗手法。

狼披羊皮还是狼

比喻坏人无论怎样乔装打扮，也还是坏人，不会因此而成为好人。

没吃上羊肉，惹一身膻

比喻没有得到好处，却落得坏名声。

膻（shān）：羊臊气。

拿五马倒六羊

用五匹马换六只羊。比喻越换越吃亏。

拿：用。

倒：换。

十二生肖：羊

徐悲鸿

羊毛出在羊身上

羊毛是从羊身上剪下来的。比喻拿对方的钱花在对方或与对方有关的人身上，自己做好人。

羊群里跑出骆驼来

比喻在十分平凡的人群里出了个了不起的人物。

羊 典故

羝乳

西汉天汉元年（前100），苏武出使匈奴被扣留，拒不投降。于是匈奴人把他流放到北海无人的地方，叫他牧羊，说要等到公羊生子哺乳才能回去。十九年后，匈奴与汉朝结亲，他才回到汉朝。（见《汉书·苏武传》）后用“羝乳”比喻不可能有的事。

羝：公羊。

歧路亡羊

战国时杨朱的邻居丢失一头羊，便率领着许多人去寻找，又请杨朱的仆人也去寻找。杨朱问，为什么要这么多人去追呢？邻居说，因为岔路很多。追寻羊的人回来后，杨朱问：寻到了没有？回答：岔路中又有岔路，不知道向哪条路上去寻找，所以只好回来了。（见《列子·说符》）后用“歧路亡羊”比喻事情繁复多变，见异思迁，最后无所成就。

攘羊

偷羊。相传有位叫直躬的人，他的父亲将从外边跑来的羊据为己有，不肯送还人家。失羊者前来讨羊，直躬当即加以证实。（见《论语·子路》）后用“攘羊”指不讳言父亲或亲属尊长的过错。

十羊九牧

十只羊倒有九个放牧的。隋朝时所设置的郡县，成倍的多于古代。有的地方尚无百里，就同时设几个县；有的地方还不到千户人家，要分属二个郡，这样很不便于管理。杨尚希曾上表，要求改革这种“民少官多，十羊九牧”的状况。（见《隋书·杨尚希传》）后用“十羊九牧”比喻政令不统一，无所适从。

羊左之交

战国时羊角哀和左伯桃两人是好友。他们听说楚王招纳贤人，便一同前往楚国。半道上遇上大风雪，他们带的干粮又少，衣服又薄，看样子两人不能都活着赶到了。左伯桃就把自己的粮食和衣服都留给了羊角哀，自己钻入一个树洞中死去了。羊角哀到了楚国当上了大官，就挖开那个树洞，取出左伯桃的尸体，哀痛地隆重安葬。（见《汉书·申屠刚传》注）后用“羊左之交”表示生死之交。

羊 风俗

打羊迎客

彝族交际礼仪风俗。流行于四川大小凉山。“打羊”即“杀羊”。客人来访，先将羊牵到客人面前，然后用木棒猛击羊头三下，当即被击死则为吉祥。饭前，主人先烧肝给客人吃，以示尊敬。饭后，将羊膀、羊头送给客人带回。吃饭时，主妇不等客人吃完便添，否则，被视作失礼。

刁羊

哈萨克、柯尔克孜、塔吉克等民族男子喜爱的集体马上游戏。流行于新疆维吾尔自治区。多于节庆时在宽阔平坦的草原上举行。有两种形式：(1) 将割去头和蹄的山羊放在马背上，由一名身强力壮的骑士鞭打着马飞驰，参加比赛的人骑马追赶，夺得山羊并最早送达某一指定地点的即胜。（2）将山羊放在地下，比赛的人骑马飞跑俯身拾羊，你争我夺，各显身手，最后夺得山羊并能送达指定地点的即胜。

敬羊头肉

柯尔克孜、哈萨克等民族交际礼仪风俗。流行于新疆。客人到家中，主人牵一只肥羊至客人面前，请他应允后宰杀。肉煮熟后，向客人敬上羊头。客人接过羊头，先割一片给长者，再割一片给幼者，最后将羊头捧献给主人。礼毕，主客共吃羊肉。

烤全羊

亦称“烤整羊”。蒙古族传统食物。流行于内蒙古、新疆。公元12世纪已有。成吉思汗时，常用铁三脚架、石火盆、火塘烤全羊。至清代则用专门的烤炉烤制，色、香、味、形俱全。为喜庆宴席上待客佳肴。

羊 神话

皋陶

——《论衡·是应》

中国神话中公正的法官。他青脸鸟嘴，铁面无私。他有一只独角神羊，能知道谁是有罪的人。皋陶审理案件，遇到疑难，就牵来神羊。神羊只触有罪的人，对无罪的人，它不去碰。

注意陶，不念 táo，念 yáo。

五羊城

从前广州的一个穷人交不起租，被抓去了，儿子痛哭不已，感动了五位仙人。他们骑着五只颜色不同的山羊，从天冉冉而降，交给少年一束粳稻，要他连夜种在土里。少年照仙人的话去做，一夜之间，长满沉甸甸的谷穗。衙门官老爷看到这黄玉般的谷粒，顿生邪念。他们放出老汉，跟着少年，来到五仙人住的坡山脚下，如狼似虎地猛扑过去。五仙人立即腾空而起，只留下五只山羊。他们又向五羊冲去，那五羊已变成五只色彩各异的石羊。为纪念给百姓恩惠的五仙人，人们在五只石羊身旁建造城市，取名为“五羊城”。

羊 寓言

反裘负刍

——刘向《新序·杂事二》

魏文侯外出游览，路上见到一个人反穿着一件羊皮袄，把皮板露在外面，背上背着喂牲口的草。文侯问他：“你怎么反穿羊皮袄呀？”那人回答：“我舍不得羊毛给草梗磨坏了。”文侯说：“你要晓得，皮板要是磨破了，羊毛就没地方依附，会坏得更快呀！”

反裘：反穿皮衣。

负：背。

刍：喂牲口的草。

◇要保住某种事物，首先要保护好它的根基。

放羊

——《庄子·骈拇》

臧和谷两个人一道去山上放羊，因为不专心，两个人都把羊丢失了。主人问臧：“你放羊时干什么去了？”臧回答说：“我拿着竹简在读书忘记看好羊了。”又问谷:“你呢？”谷回答说:“我跟人家掷骰子游戏，没注意让羊跑掉了。”这两个人干的是不同的事，有不同的理由，但是丢失羊的错误是完全一样的。

◇因失职而造成损失，任何理由都推卸不了责任。

羊

潘方尔肖形印

外国动物故事

潘与金羊毛

[希腊]

在希腊的群山之中，有一片宁静的牧场，牧场的尽头便是传说中的奥林匹斯山，这里的牧民们世代放牧。牧场上有一只特别的羊，名叫潘，深受牧童和村民的喜爱。

一天，牧场的主人，一位年轻的牧童亚历克斯，发现家族的牧群逐渐减少，原本茂盛的草场也日渐枯萎。村中的长老们议论纷纷，有人说是山中的怪物趁夜晚来偷走了羊群，还有人说这是神明对村庄的惩罚。亚历克斯望着空旷的牧场，传说中的故事浮现在脑海中。相传，奥林匹斯山的深处藏有一件珍贵的宝物——金羊毛。它不仅能赐予丰收，还能驱散邪恶和黑暗。然而，这件宝物由一头凶猛的守护兽看守，没人敢冒险去寻找。

亚历克斯决心一试，他抚摸着潘的头："朋友，我们要去寻找金羊毛，带回希望。"潘仿佛明白了他的心意，蹭了蹭亚历克斯的手，轻声叫了一声。

天刚破晓，亚历克斯带着干粮和潘启程，朝着奥林匹斯山进发。山路陡峭，荆棘横生。潘灵活地在树根和岩石间跳跃，为亚历克斯引路。当他们走到一条布满青苔的石桥时，突然，桥的另一端出现了一只黑狼，喉中发出低吼。潘没有退缩，冲着黑狼发出叫声，吸引它的注意。黑狼猛扑过来，亚历克斯趁机从背袋中取出一块肉干，抛向远处。黑狼转头追向食物，他们抓住机会迅速通过石桥。

终于，亚历克斯和潘来到了一片古老的橄榄树林中，眼前的景象让他们惊叹不已：一只金色的羊毛挂在古老的橄榄树枝上，阳光洒在上面，发出柔和的金光。然而，就在他们走近时，一阵低沉的咆哮声响起。

从树后缓缓走出一头巨大的狮鹰兽，双眼如火焰般盯着入侵者。亚历克斯心中一紧，知道这便是守护金羊毛的神兽。潘小心地站在亚历克斯前面，眼神坚定。狮鹰兽停下了脚步，似乎对这只小羊的勇气感到意外。

亚历克斯鼓起勇气，走上前说道："伟大的守护者，我们并非贪图金羊毛的力量，而是为了拯救我们的村庄。我们需要它来恢复牧场的生命，让村民们渡过困境。"

狮鹰兽说道："真正的勇士不是靠力量取胜，而是靠心中的信念。你们已通过了我的考验。"

狮鹰兽挥动翅膀，让金羊毛轻轻飘落，亚历克斯双手颤抖地接过，眼中含着泪水："谢谢您，我将永远铭记这一刻。"

潘兴奋地跳跃着，发出愉快的叫声。亚历克斯和潘带着金羊毛返回村庄。回到村庄后，亚历克斯将金羊毛放在牧场中央，奇迹发生了：草场重新焕发出绿色，羊群也逐渐增多。

村民们围着亚历克斯和潘，感激之情溢于言表。长老们纷纷赞叹道："这不是神明的惩罚，而是对我们勇气与团结的考验。"

邓明书法　潘方尔水墨漫画（局部）

猴

hóu

猴

《辞海》中的释义

1. 见“普通猕猴”。

普通猕猴（Macaca mulatta）亦称“恒河猴”。哺乳纲，灵长目，猴科。体长55～60厘米，尾长25～32厘米。毛色灰褐，腰部以下橙黄，有光泽，胸腹部和腿部深灰色。颜面和耳裸出，幼时白色，成长后肉色至红色。有颊囊，用以贮藏食物。臀部的红色胼胝明显。群居山林中，好喧哗玩闹。采食野果、野菜，也吃昆虫、小鸟等；冬季常结队盗食农作物。分布于南亚、东南亚以及中国云南、贵州、四川、青海、陕西、河北、广西、广东、海南、福建、西藏、山西、浙江、安徽等地。可供生物学、医学、心理学等科学研究用。为国家二级保护动物。

2. 像猴子那样伛偻蹲着。《红楼梦》第十五回：“别学他们猴在马上。”

组词

沐猴而冠

母猴

申猴

邓明书法

申猴是十二生肖中“猴”的全称，古人因猴子在申时啼叫，而列为地支的第九位。《太平广记》记载了大禹治水时有“形似猿猴，缩鼻高额，白躯青首，金目雪牙，颈伸百尺，力逾九象”的“无支祁”，后演化为明代吴承恩《西游记》中孙悟空的形象。另有“朝三暮四”“心猿意马”等典故。其作为生肖的象征意义，在于自由敏捷、活泼好动、聪明灵活、智勇双全。

Monkey

猴

郑辛遥简笔画

“马上封侯”与“沐猴而冠”

猴子，在我国古代很早就有这种动物，但“猴”这种名称的出现却很晚，大约到了战国时代，“猴”这个字，才普遍使用。以前的古字，由于年代久远而又没有多大意义，我们就不去说它了。东汉一本叫《白虎通》的古书上说，“猴”这个字本来写作“侯”，就是观望的意思，因为人们在捕捉猴子的时候，在地上埋伏机关，内放诱饵，而猴生性聪明，知其有诈，怕上当不敢去取，就在树上或高处远远“侯望”，待人离开后才敢去取，于是人们就叫它“侯”，以后天长日久，人们加上了“犭”旁，写作“猴”，以示识别。

在中国民俗中，猴被认作是一种吉祥的动物。在民俗画中，尤以猴为题材的画为多。例如有一幅《猴儿拉马》的风俗画，据说是清咸丰三年（1853）太平军北伐进驻杨柳青时所绘，画一猕猴立于柳树之上，在用力拉一匹青骢白马，马作昂头竖尾状，远处有青山屋舍，笔墨简练，情景生动。这幅图取材于神话小说《西游记》。孙悟空，图中的猴其实是小说中孙悟空的化身。孙悟空虽是一个小说中的人物形象，但又出身猴，成为中国民众喜爱的艺术形象。孙悟空勇敢机智、乐观诙谐、嫉恶如仇。他曾大闹天宫，被玉皇大帝封为叫弼马温的官，掌管天马，“猴儿拉马”就寄寓着这层意思。但是也有人认为这幅画是“马上封侯”的意思。

其实，“马上封侯”确实有这样的纹图，那是一幅猴子骑马的图。“侯”，就是公侯将相中的侯，在封建社会能封上个“侯爵”，就有享受不尽的荣华富贵。于是为了能被“封侯”，许多人孜孜以求。“马上”是即时，立刻的意思，“封侯”是指被封为侯爵，两者联起来，意思是即刻就要受到爵位，做显官，登高位。在“学而优则仕”的封建社会，这幅图画是倍受青睐的吉祥画。有的人在这幅画的猴子的身后还画上有追飞的蜜蜂，“蜂”与“封”、“猴”与“侯”都是同音，其中的寓意是十分明显的。

除了“马上封侯”之外，还有的画表现猴子在枫树上摘取挂印。封侯，指被封赐为侯爵显位，印指做官的人必须握有官府大印。“封侯挂印”，也隐喻着高升的意思。印不挂在其他树上，而是挂在“枫树”上，“枫”与“封”又是谐音，在封建社会中，这幅《封侯挂印》图，常常被用来作为祝贺亲友和上司官运亨通，升官晋级的吉祥图案。

此外，在民俗画里，也有两只猴子攀松树，松树是代表永久，象征老人长寿的吉祥植物。小猴骑在大猴背上，表示“辈辈封侯”，在旧时代衙门门前有避邪迎祥作用的风墙上，几乎都绘有这样的图案。它深刻地反映了这些骑在老百姓头上的官吏心中最殷切的期望。在我国北方，民间还有一种“缝猴”的习俗，就是在一面一尺见方的红布上缝贴着三四寸高的猴子图案，由“缝猴”来象征“封侯”的意思，这种图案用于正月间，悬挂在屋檐下，迎风招展，讨个吉利。

“马上封侯”，是一种民俗现象，它是在历史上逐渐形成的，我们纵观古代艺术品中的猿猴形象，却不一定具有吉祥寓意，更无神秘色彩，而大都是生活中实物的写照。

在河南省安阳县殷墟妇好墓曾出土一件以浅绿色水晶料制成的猴形圆雕。这个猴圆眼大鼻，伸出前肢作拱拜状，仰面朝天。作者对猴子动作的刻画非常逼真，猴子的这种类似乞讨的举动，大家在动物园里经常可以见到。殷人能制作出这等写实作品，与当时安阳一带出产猴子有关，这也可以在卜辞中的“猴”字以及殷墟出土猴子的骨头中得到进一步验证。

大家都看过《西游记》，其中最吸引人，塑造得最好的形象，就是孙猴子——孙悟空。

我国特产的金丝猴，却是世界上最珍贵的猴种之一。它全身披着金黄色的长毛，头圆，耳朵、鼻孔朝天，脸蓝色。金丝猴群居在秦岭二三千米高的山上密林中，以野果、树叶为食物。猴群中身强力壮的“猴王”叫“望山猴”，是它们的总指挥，它总在树顶上瞭望警戒。为了饮水或冬季觅食，金丝猴成群落地时总是几十只甚至上千只浩浩荡荡地行动。它奔跑的速度每小时可达八九十里。在云南海拔 3000 米的原始森林里，还有一种黑金丝猴，又叫“雪猴”，也是稀有的珍贵动物，它匿迹了上百年，最近才被人们发现。

在中国汗牛充栋的古代典籍中，记载了许多与猴子有关的故事。《庄子》中有故事说，宋国有个狙公，养了一大群猴子，一天，狙公骗猴子说：“今天早晨给你们吃三个果子，晚上吃四个。”猴子们一听早晨比晚上少吃一个，就发怒吵起来。狙公于是改口说：“那么早晨给你们吃四个，晚上吃三个。”猴子们一听，觉得早晨比晚上多吃一个。便高兴了。其实一天的数量并未变动，狙公只不过换了一个说法，猴子就接受了。后人把这个故事概括为一个常用的成语“朝三暮四”，

聚猿图（局部）

北宋·易元吉

常用来形容人做事反复无常，经常改变主意。

还有一个今人常用的成语“沐猴而冠”，古今之间词义也有变化。最早是形容人过于性急，没有耐性，不能登大雅之堂，因为野生的猴子放荡不羁，给人抓来扮成人样，穿上衣冠，但是本性难移。它们野性难改，无法忍受衣冠的束缚，所以没一会儿工夫，便挣脱衣冠，四处玩耍去了。今人用“沐猴而冠”，说的是猴子戴帽子，人面兽心，虚有其表，常用来讽刺依附权势，窃据名位之辈。因为猴子就是猴子，无论怎样披金戴银，也只是一只猴子！

常言道：“动物都有骨肉情”，猴子在所有动物中算是最有灵性的，也充满着母爱精神，有一本书叫《湘山野录》，其中写道：南唐李后主行猎，抓到一只母猴，母猴便流泪下跪，以手指着肚子。后主明白了它的意思，吩咐左右不要伤害它，到晚上，那头母猴果然生下了两只小猴。又有一本书中记载，有个姓余的人，在野外路遇猴子，便向它们追逐。母猴急忙背着小猴潜入路边河底。由于河水清澈见底，那个姓余的人用戟刺去，刺断了母猴的脊梁。但母猴还是忍着剧痛，泅到对岸，抚摸着小猴，然后死去。当然，猴子也有作恶的时候。《会稽县志》记载了这样一个故事：有一群猴子经常危害庄稼果园，弄得人们束手无策。有个叫法聪的和尚设法捉了一只老猴子，给它套上怎么也脱不掉的衣冠，然后放它归群。老猴子喜得脱身，跳跃归群，可它的同伴看到它却害怕极了，急忙躲避，你越躲，老猴追得越急，猴子们相互追逐日行数十百里，终于离开了庄稼果园。那个聪明的老和尚用这个方法驱猴相当成功。可以说，他把“沐猴而冠”的典故用活了，是以其猴之道还治其猴之身！

巴东三峡歌①

巴东渔人

巴东三峡巫峡长，猿②鸣三声泪沾裳。
巴东三峡猿鸣悲，猿鸣三声泪沾衣。

猴 诗词·名句

注释

①巴东三峡歌：巴东三峡，指瞿塘峡、巫峡、西陵峡，都在古代的巴东郡内，就是现在重庆、湖北两省市交界处。

②猿：一种像猴子的动物，没有尾巴。

解说

巴东三峡里巫峡最长，猿猴叫啊叫，我的眼泪打湿了衣裙。巴东三峡猿猴叫得最伤心，猿猴叫啊叫，我的眼泪打湿了衣裳。

坐船出门的人最怕猿猴的叫声，因为一听到这种哭一样的声音，他们就会伤心地想起家乡，想起亲人。

早发白帝城①

唐·李白

朝辞白帝彩云间，千里江陵②一日还。

两岸猿声啼不住③，轻舟已过万重山。

注释

① 早发白帝城：早晨从白帝城出发。白帝城在重庆市奉节县的白帝山上。

② 江陵：湖北省江陵县。

③ 不住：不停。

作者简介

李白（701—762），唐代诗人。字太白，号青莲居士，自称祖籍陇西成纪（今甘肃静宁西南），隋末其先人流寓碎叶（唐时属安西都护府，在今吉尔吉斯斯坦北部托克马克附近）。其诗达到盛唐诗歌艺术的巅峰，被誉为“诗仙”。

解说

早晨告别了彩霞满天的白帝城，小船顺着江流走得飞快，一天就回到了千里以外的江陵。耳边还响着两岸猿猴的叫声，轻快的小船已穿过一座座大山。整首诗洋溢着诗人经过艰难岁月后突然迸发的豪情欢悦。

小猴本领大

潘方尔水墨漫画

朝朝见云归，夜夜闻猿鸣。

——南朝宋·鲍照《拟古八首·其八》

月白烟青水暗流，孤猿衔恨叫中秋。

群猿见之走绝壁，三声欲断疑肠断，

缘峰虚梯弗劳力。饶是少年今白头。

——唐·韩愈《题西白涧》

——唐·杜牧《猿》

秋浦多白猿，超腾若飞雪。

牵引条上儿，饮弄水中月。

——唐·李白《秋浦歌十七首·其五》

目极魂断望不见，猿啼三声泪滴衣。

——唐·孟郊《巫山曲》

猴 成语

尖嘴猴腮

尖嘴巴，瘦面颊。形容长相瘦削难看，相貌丑陋。

弄鬼掉猴

搞鬼花样，耍猴把戏。指施诡计，耍花招。

掉：玩弄。

杀鸡儆猴

也作“杀鸡吓猴”。用杀鸡来警戒猴子。比喻用惩罚一个人的办法，来警戒另外一些人。

儆：警戒。

土龙沐猴

比喻徒有虚名，而无其实。清钱谦益《都察院左都御史赠特进光禄大夫柱国太保吏部尚书谥忠文李公神道碑》：“时俗方标榜门户，征逐声利，以为土龙沐猴，非所以自树立，视之蔑如也。”

沐猴：猕猴，特指穿衣戴帽装扮成人的猕猴。

心猿意马

心思好像猴子跳、马奔跑那样难以控制。形容心思不定，变化无常。

轩鹤冠猴

乘轩之鹤，戴帽之猴。比喻滥厕禄位、虚有其表的人。

猴 俗语

猴子爬树梢——到顶了

猴子善于爬树，但当爬到树梢即最高点时，便无法继续向上。比喻人或事物的发展空间已达到极限，不可能有进一步的发展或提升了。

猴子骑土牛

猴子骑着泥土做的牛。比喻升职缓慢。

牵过猴子来打跟头，当场试验本领

通过牵猴子来打跟头这一行为，比喻在现场展示或考验某人的能力或技能。

山中无老虎，猴子称大王

比喻在没有杰出人物的地方，能耐较差的平庸之辈也可称王称霸。

树倒猢狲散

树倒后，在树上的猴子就都散开了。比喻所依靠的人或势力垮台后，随从的人也就纷纷散去。

猢狲：猴子。

孙猴子变山神庙，藏不住尾巴

《西游记》载：孙悟空与二郎神斗法，斗不过就变成一座山神庙隐藏起来，但尾巴无处放，就变成一支旗杆竖在庙后，一下子被二郎神识破。比喻伪装露出马脚，被人识破。

猴 典故

断肠

相传有人在山中捉到一只小猴子，把它绑在庭院的树上，母猴乞求放掉小猴，但那人竟把小猴杀死了。母猴悲叫撞地而死，那人破开母猴肚子一看，肠子已寸寸断裂。（见《搜神记》）后用“断肠”形容悲痛到极点。

猢狲入袋

宋朝梅尧臣受皇帝的命令修

猴年安康

赵澄襄剪纸

撰《唐书》，开始工作时，他曾对妻子说：要我修书，可以说是把猢狲装入袋中。意思是说，从此就没有自由了。（见《归田录》）后用“猢狲入袋”比喻行动失去了自由。

棘猴

传说战国时燕国国王很喜欢小玩艺，有个宋国人，请求替燕王在棘刺上雕刻一只母猴。但一定要燕王斋戒三个月，才能看他刻制好的母猴。燕王便用很多的俸禄供养着他。国王手下的一位铁匠说：君王的斋戒没有超过十天的，他知道你不可能长时间的斋戒，所以才定了三个月的期限。再说凡刻削东西，所用的刻刀一定小，我是个铁匠，却无法打造这样的刻刀。大王，你要明察呀！燕王把宋人囚禁起来拷问，证明他果然是想行骗。（见《韩非子·外储说左上》）后用“棘猴”指欺骗的勾当，也用指艰难的事业。

棘：一种多刺的树。

猿公

传说春秋时，越国有位少女善于舞剑，越王就聘请她来。在半路上她遇见一位自称是袁公的老翁。两人便比试剑术的高低。袁公用竹竿同她比剑。比赛完毕，老翁飞到树上，变成一只白猿离去。（见《吴越春秋·勾践阴谋外传》）后用“猿公”指剑术高明的人。

猴 风俗

把门猴

汉族端午节风俗。流行于黑龙江、吉林等地区。每年农历五月初五，民间心灵手巧的姑娘、媳妇或老奶奶，用红、黄、白三色布，缝制布猴，或单体、或双体，即大猴背着小猴，悬挂门侧。形状古朴笨拙，令人喜爱。民间以为能驱邪恶，迎吉祥。

吊缝猴

汉族民间岁时风俗。流行于台湾地区。春节前，用布扎成猴子模样，或用一尺见方的红布，缝成三四寸大的猴形图案，并在缝猴的四个角上又缝上扫帚图形。春节期间，挂在屋檐下，作为屋外装饰物品。因“缝猴”与“封侯”谐音，俗信可获吉利，且能避邪驱恶、除瘟去病。

捡猴蛋

也叫“猴抱蛋”。畲族民间儿童游戏。流行于福建地区。由一少年扮作猴子，爬在地上，腹下放一枚蛋（河卵石）。周围儿童找机会抢捡其蛋。“猴子”四面旋转守蛋，抓到或碰到谁，谁就被罚做“猴子”。猴蛋被人捡去，“猴子”就要受罚，唱一支歌，并继续做“猴子”。

猴 神话

建木

——《山海经·海内经》

中国神话中众神上天下地的梯子，名叫建木，青叶紫茎，黑花黄果，高大树干没有旁枝逸出。长在南海以内，黑山、青水之间，处于天地的中央，正午太阳当顶时，不见有一点树影。原为中央天帝黄帝种植，以便于众神上天下地。一次，一群猴子攀树采果，竟从树顶登上天宫，成了仙猴。

如来佛掌心

——《西游记》第七回

齐天大圣孙悟空被捉到天宫，玉皇大帝命令天神用刀砍、雷劈，都不能损伤他的一根毫毛；

太上老君把他放在八卦炉里焚烧，反而炼出他的火眼金睛。他跳出八卦炉，又大闹天宫。玉皇大帝只得请西天如来佛祖来。如来向孙悟空提出：如能一筋斗跳出右手掌心，就让出天宫；如不能，就打入下界。悟空一筋斗翻了十万八千里，忽见有五根肉红柱子，撑着一股青气，自以为到了天边，就在中间柱上写上“齐天大圣到此一游”八字，又撒泡猴尿作为标记。他回来后，如来骂他在掌上撒尿。他细看如来的中指上有自己写的八字，急待跳出掌心，如来已翻掌一扑，五指化作五行山，把他压在山下。

孙悟空大闹天宫

——《西游记》第七回

孙悟空原是花果山水帘洞的猴王。学仙后归山，闯入东海龙宫向龙王要了巨大的定海神柱作为金箍棒，又去阴曹地府，找阎罗王销除猴类在生死簿上的名籍。天庭震惊，玉皇大帝采纳太白金星的计策，降旨，授猴王以“弼马温”的职位，让他到天庭去饲养天马。他后来知道官职卑微，大发雷霆，反出天宫。玉帝派兵擒拿，巨灵神及哪吒都败在他的手下，他索性打出“齐天大圣”的旗号。玉帝无法，只得再次降旨，授给他“齐天大圣”的虚衔。西王母开蟠桃会，遍请各路天官神仙，就是没邀请猴王。猴王一怒之下，大闹蟠桃会，又偷吃了太上老君的仙丹，一路打下天宫。玉帝点十万天兵，布下天罗地网，也没能取胜。后派出二郎神来交战，又得各神仙相助，才擒住猴王。太上老君想把他放在八卦炉内炼化，反而炼就他的火眼金睛。猴王逃出丹炉，再闹天宫。玉帝只得请来西天如来佛祖。猴王被骗入如来掌心，如来以五指化作五行山，把猴王压在山下。到唐朝出了圣僧玄奘，猴王才得解救，皈依佛门，法号“孙

十二生肖：猴

徐悲鸿

悟空”，护送玄奘去西天取经。

小圣战大圣

——《西游记》第六回

美猴王孙悟空在花果山竖起“齐天大圣”的旗号，玉皇大帝派天兵天将来捉拿，令外甥二郎神去助战。大圣同二郎神打个平手，忽见自己的猴群被打散，就抽身逃走。二郎神长着三只眼，一看到大圣变为麻雀，就化作饿鹰扑去。大圣突然变为鸬鹚，二郎神化作海鹤来衔。大圣又变为水下鱼儿，二郎神化作鱼鹰去捉。大圣变为水蛇钻入草里，二郎神化作灰鹤来啄。大圣变为低贱的花鸨，二郎神现出原身，取弹丸射击。大圣趁机滚下山崖，变为一座土地庙儿：嘴巴变庙门，牙齿变门扇，舌头变菩萨，眼睛变窗户，只有尾巴不好收拾，竖在后面，变作一根旗杆。被二郎神识破后，大圣立即用隐身法冲出营围，变为二郎神的模样，驾云到四川灌江口二郎神庙接受小鬼的磕头迎接。二郎神和众天将赶到灌江口，重新围困大圣。太上老君暗中用金钢琢打中大圣的脑袋，大圣摔了一跤，又被天狗咬住腿肚，终于给捉拿到天宫。

真假孙悟空

——《西游记》五十八回

孙悟空在取经路上打死强盗，唐僧怪他杀生，逐他离开。六耳猕猴化作孙悟空，打倒唐僧，抢走行李。这真假孙悟空形貌如一，神通无二。真悟空得知，就去与假悟空扭打到南海，观音菩萨也辨别不清。他俩一起打到天宫，李天王照妖镜中显出两个孙悟空的影子。他俩又打到唐僧面前，唐僧念“紧箍儿咒”，两人一样头痛。他们再打到阴间，地藏王在生死簿上查不出“假悟空”的名字。只有谛听神兽清楚，将他们领到如来佛祖那里去辨明。如来佛祖指出，假悟空原是六耳猕猴。那猕猴立即化作蜜蜂飞去，给如来佛祖用金钵盂罩住，现出原形，被悟空一棒打死。

猴 寓言。

猴子拔毛

——浮白斋主人《笑林》

一只猴子死了，去拜见阴间的阎王，要求下辈子转成人身。阎王说：“你想做人，得把身上的毛全拔掉。”就命令小鬼给猴子拔毛。刚拔了一根，猴子就疼得大叫。阎王笑着说：“你一毛不拔，怎么能做人呢？”

◇为人小气，一毛不拔，就很难做人了。

猴子分鲤鱼

——《法苑珠林·愚戆篇》

两只猴子捉到一条大鲤鱼，不晓得该怎么分。这时一条野狗到河边喝水，猴子问狗：“我们在河里捉了条鲤鱼，不会分，你会不会分？”野狗说：“会。我可以把它分成三份。”随即问：“你们谁喜欢到浅水里去？”一只猴子说：“我。”又问：“谁喜欢到深水里去？”另一只猴子说：“我。”野狗说：“好，你们听着：到浅水去的应分给鱼尾，到深水去的应分给鱼头。中间一段应该分给懂得怎么分鱼的那一位。”

◇狡猾的人常利用别人的无知捞好处。

猴子捞月

——《法苑珠林·愚戆篇》

一群猕猴在树林里玩耍，看到一棵大树下有口井，月亮的影子在井里晃来晃去。猕猴王对同伴们说："月亮今天掉到井里去了，我们应当把它捞出来，免得夜间一片漆黑的。"猴子们问："怎么才能捞出来呢？"猕猴王说："我有办法：我抓住树枝，另一个抓住我的尾巴，一个连一个，就可以捞出月亮了。"猕猴们立刻照着干起来，一个接一个，连成一长串，快要够到水面时，因为这么多猕猴加在一起太重，树枝突然"喀嚓"一下断掉了，所有的猕猴全掉到了井里。

◇头脑简单而又自作聪明的人，常常没事找事，惹出麻烦。

棘刺母猴

——《韩非子·外储说左上》

燕王很喜欢精微小巧的摆设。有个卫国人自己推荐用酸枣树的刺为燕王雕刻一只母猴。燕王很高兴，用很优厚的俸禄供养他。一天燕王对他说："我想看看你雕刻的棘刺母猴。"这个卫国人说："君主要是想看它，必须半年不进后宫，不喝酒、不吃肉，在雨后初晴、太阳刚出、半明半暗的那一会儿才能看得见它。"燕王听说条件这样苛刻，只好继续养着他，却一直没看到他刻的母猴。后来有个替燕王干活的铁匠知道了这事，对燕王说："我是打造刻刀的，我晓得所有细小的东西都要用刻刀来雕削，要刻的东西肯定都比刻刀的刀刃大。如果酸枣树刺的尖子连刻刀的刀刃都容纳不下，怎么能在刺尖上雕出母猴呢？您去看看那人的刻刀，就知道他能不能雕得出来了。"燕王说："好主意。"于是把那卫国人找来，问道："你在棘刺上雕母猴用的是什么工具？"那人回答："我是用刻刀。"燕王说："我想看看你的刻刀。"那人说："好，请让我回屋里去取来。"于是趁机逃走了。

棘：酸枣树，有刺。

◇骗子的骗术能够得逞，是因为它投人所好，认真考察，严格追究，骗术就不攻自破了。

卖弄灵巧的猴子

——《庄子·徐无鬼》

吴王乘船在江上游览，登上一座猴山。一群猴子看见吴王和他的随从，吓得四处逃散，躲到荆棘丛中去了。唯独一只猴子，慢条斯理，满不在乎，还跳跳蹦蹦，在吴王面前卖弄它的机灵活泼。吴王朝它射了一箭，猴子敏捷地接住了这支飞箭。吴王就命令手下的侍从一齐追赶射杀，那只猴子终于被乱箭射死了。吴王回过头来，对朋友说："这只猴子自以为灵巧得很，骄傲地在我面前逞能，以致就这样死掉了。真要警惕呀！"

◇即使有本领，也不要逞能卖弄，否则会招致大祸。

猴

潘方尔肖形印

外国动物故事

庙会的欢乐之猴

[泰国]

在泰国的一座小村庄里，每年一度的庙会是村民们最期待的节日。庙会不仅是祈福的时刻，还伴随着精彩的舞蹈、音乐和丰富的美食。整个村庄的人都会盛装打扮，涌向寺庙前的广场，共度这欢乐的时光。然而，今年的庙会前夕，村庄却被一股浓浓的紧张气氛笼罩着。

原来，村庄里的两大舞蹈团体因为谁该在庙会上领舞发生了激烈争执。每个团体都坚称自己的舞蹈才是最值得一看的，甚至差点大打出手。村长看着局势一天天紧张起来，忧心忡忡："如果他们不和解，这场庙会恐怕会变成一场闹剧。"

就在村民们为这场争执感到忧虑时，村中一只顽皮的小猴子，名叫叻叻，灵机一动，决定采取行动。叻叻是村中庙宇的一分子，平时最喜欢在庙会上表演各种滑稽的动作逗人开心。这次看到村庄面临困境，它决心用自己的智慧和幽默化解这场纷争。

庙会前夜，叻叻悄悄来到村长的家里，用爪子轻轻敲打窗户。村长打开窗户，看到是叻叻，不禁笑了："小家伙，这么晚了，有什么事吗？"

叻叻用手势和表演告诉村长它有一个计划，村长听着听着，脸上的愁容渐渐舒展开来，眼中闪烁着希望："叻叻，你真是个聪明的小家伙！"

第二天，庙会如期举行，两大舞蹈团体站在广场的两侧，彼此互相瞪视，谁也不愿让步。就在气氛一触即发时，叻叻灵巧地跳到广场中央，用滑稽的动作吸引了所有人的目光。

叻叻戴着一顶用香蕉皮做成的小帽子，手里挥舞着一根彩带，一边跳跃一边做出夸张的舞步。它那滑稽的模样和节奏不一的舞步让人忍俊不禁，村民们开始哈哈大笑，甚至忘记了刚刚的紧张气氛。看到叻叻如此投入地表演，两大舞蹈团体的领袖彼此对视，表情从不屑转为松动。叻叻一边表演，一边巧妙地将两团体的领袖拉到一起，做出邀请他们加入表演的手势。村民们纷纷起哄："一起跳啊！让我们看看你们的合作！"

在村民的鼓励和叻叻滑稽表演的感染下，两位领袖终于露出笑容，走上前，一左一右站在叻叻身旁，开始随着叻叻的动作舞动起来。叻叻在中间穿梭，时而模仿一个领袖的动作，时而学另一个领袖的步伐，把三人的舞蹈巧妙地融合在一起。舞蹈结束时，两位领袖彼此握手，脸上带着真诚的笑容："这场庙会不是属于我们某一个团体的，而是属于整个村庄的。叻叻，谢谢你，让我们明白了这一点。"

庙会在热烈的掌声和欢笑声中继续进行，叻叻成为了全场的焦点。它坐在广场中央，开心地吃着村民们送来的水果，眼中闪烁着满意的光芒。

邓明书法　潘方尔水墨漫画（局部）

jī

鸡

《辞海》中的释义

1. 繁体：鷄
2. 异体：雞
3. 动物名。鸟纲，雉科家禽。

组词

鸡窗 / 鸡坊 / 鸡骨 / 鸡骨支床 / 鸡口牛后 / 鸡肋 / 鸡毛信 / 鸡鸣狗盗 / 鸡皮鹤发 / 鸡犬升天

斗鸡走狗 / 割鸡焉用牛刀 / 鹤发鸡皮 / 鹤立鸡群 / 淮南鸡犬 / 家鸡野雉 / 嫁鸡随鸡 / 牝鸡司晨 / 杀鸡取卵 / 山鸡舞镜

斗酒只鸡 / 荒鸡 / 嫁鸡随鸡 / 金鸡 / 金马碧鸡 / 昆鸡 / 鹍鸡 / 鶤鸡 / 木鸡 / 莎鸡

酉鸡

邓明书法

酉鸡是十二生肖中“鸡”的全称，生肖中唯一的禽类代表，传说因鸡在酉时归巢，而列为地支的第十位。《列子》里有“呆若木鸡”的故事，东晋王嘉《拾遗记》有尧帝时期鸡是重明鸟变形的神话，《晋书》有“闻鸡起舞”的典故。鸡是五德之禽：戴冠为文德，足后有距能斗是武德，敌前敢斗是勇德，见食相呼是仁德，守时不失是信德。其作为生肖的象征意义，在于吉祥如意、勇敢善斗、平安祥瑞。

Rooster

鸡

郑辛遥简笔画

鸡的故事与趣闻

鸡，古人称为德禽，并用鸡来辟邪。古代鸡有许多品种，只是在长期的“优胜劣汰”原则的支配下，有许多品种至今已经荡然无存了。

现在，各式各样的家鸡品种很多，如三黄鸡、狼山鸡、萧山鸡、蒲东鸡、寿光鸡、桃源鸡、大骨鸡、来航鸡……尽管品种各异，但它们都是由同一个祖先进化而来的。

原来，家鸡的祖先叫原鸡。这是一种野鸟。这种野鸟经过人们长期的培育、饲养与驯化，演变成家鸡。早在龙山文化时期（约在公元前 2500 年）的遗址中已发掘到鸡的大小腿骨骼及前臂骨。在公元前 16 世纪到公元前 11 世纪的甲骨文里，已有鸡字，这说明我国养鸡已有悠久的历史了。根据史书的记载，到唐朝的时候，宫廷中还专门设有“鸡坊”，即宫廷养鸡场，养有安雄鸡、金毫、铁距、高冠、昂尾等鸡 1 000 多只。养鸡业呈现了相当发达的状况，经过几千年的发展，现在世界上出现了现代化养鸡技术，最引人重视的是养鸡工厂化和良鸡品种的不断改进。

我们知道，古人把猪、牛、羊、马、狗、鸡称为“六畜”。鸡居六畜之末，但尽管“屈居下位”，古人把鸡称为“德禽”，认为鸡本身具有“五德”。据《韩诗外传》说，春秋时代，鲁国的大夫田饶便对鲁哀公夸赞鸡有“五德”，他说鸡戴冠，象征着文；鸡善于搏斗，又象征武；仇敌在前敢于斗争，是为勇；见到食物便相互叫唤，不失为仁;守夜不失，能够报晓，又是有信的表现。所谓“文、武、勇、仁、信”5种德性，鸡都有，所以田饶要赞颂鸡。在所有这些德性中，勇于相斗和见食相呼等，也许是其他动物也具备的，唯独守夜啼晓，却是万物中只有鸡才会有的一项专长和天职。

《诗经》里说：“风雨如晦，鸡鸣不已”，正是赞叹鸡的忠于职守，不管天气如何恶劣，鸡都啼晓有信。鸡啼激励着志士仁人磨砺意志，晋朝人祖逖立志为国效力，与同伴刘琨互相勉励，所以半夜听到鸡啼就起床舞剑，这就是成语“闻鸡起舞”的由来。后来祖逖建立了奇勋大业，而他少年时代勤奋学习的故事，也流传下来成为千古美谈。鸡啼可以催人奋进，但也有讨厌鸡啼叫的人。清人黄遵宪在《山歌》诗中写道：“催人出门鸡乱啼，送人离别各东西。挽水西流想无法，从今不养五更鸡。”因为要离家出走或与亲人离别的时候，鸡啼意味着催人上路，离愁别恨，也是最能牵动人的感情的。

关于鸡啼，在闽南一带还流传着这样的故事：古时候，公鸡住在天上，和太阳是结拜兄弟。太阳年纪较长为哥哥，鸡是弟弟，虽然鸡心里想当哥哥，但武艺与能力都比不过太阳，于是想到人间去称王。

公鸡为了实现在人间称王的目的，暗自思忖必须打败所有的动物才行。于是它拼命地将自己的长嘴在石头上磨尖磨利，以便用来对付敌手。结果一尺长的喙被它磨成了只剩一寸长。它还嫌不够锋利，还要磨（这个习惯一直保存了下来，至今我们还可以看到鸡常在地上或石头上磨嘴）。为了对付从后面来的敌人，它便在两脚的后方安置了两个利距，以便反击从后面袭击的来犯者。同时为了对付虎、豹、狮、象这些猛兽，它更是不停地练习各种飞跃冲扑，猛啄狠踢等动作。这样还不够，公鸡还是嫌自己头上光秃秃，胸前赤裸裸的，一旦称王就不够威风。于是请太阳哥哥帮忙，在它的头顶和胸前各用神奇的法术进行装点处理，果然头上出现了鲜红的肉冠，胸前也长出鲜艳夺目的羽毛来了，显得威风凛凛，不可一世。

当公鸡来到凡间后，才发现自己并不能称王，连虎、豹、狮、象都打不赢，更不用说对付万物之灵的人类了。因此它很后悔，想再飞回天上去，但由于长期练习扑跃抓踢的动作，使两只翅膀变短了，身体也变得笨重了，它再也不能像从前那样一飞冲天，万里翱翔了。它没有办法了。因此，它只有每天早上对着太阳呼唤“哥哥——哥哥”以求救。但因为它私自下凡，犯了弥天大罪，所以太阳也救不了它。直到现在，公鸡仍在太阳一出来前就“哥哥——哥哥”地呼叫。

在我国古代，斗鸡，也是一项传统的娱乐活动。有时也不免带有赌博的性质。春秋战国时代的鲁国，就风行斗鸡。到了唐代，不仅民间设鸡场、捧鸡而斗，就连唐玄宗也喜爱斗鸡，宫内特设“鸡坊”，养斗鸡数千只，并选几百个士卒担任养鸡工作。皇帝尚且如此，上行下效，搞得朝野内外举国上下斗鸡之声随处可闻，陈鸿祖《老城老父传》记载了鸡坊有个主管叫贾昌，虽是13岁的“三尺童子”，却有养鸡天才，不但能治鸡病，能教鸡斗，更能令鸡听其指挥行事，所以极得唐玄宗的宠爱，常常得到皇上赏赐。因此，民间流传一首歌谣：

生儿不用认文字，斗鸡走马胜读书，
贾家儿子年十三，富贵荣华代不如。

唐代“斗鸡”风俗之盛，我们可以从唐代诗人的名篇佳作中窥见一斑。大诗人杜甫写有一首五律诗，描写当时社会斗鸡的情景。诗云：“斗鸡初赐锦，舞马既登床。帘下宫人出，楼前御柳长。仙游终一閟，女乐久无香。寂寞骊山道，清秋草木黄。”斗鸡的习俗，到了宋代以后才逐渐衰退。由此看来，古人“斗鸡”并不亚于现在的“赛马”“跑狗”“赛鸽”的盛况。

西方人的圣诞节，近年来在我们这里又热闹起来。西人过圣诞节有食火鸡的风俗，据说已有400多年的历史了。其实，他们吃的“火鸡”，原产地却在我们中国。不过，中国人一般都不喜欢吃火鸡，而大都是将火鸡作为珍禽蓄养起来。大概与火鸡的肉粗，而它的颜色比较艳丽有关。圣诞节食火鸡的风俗始于1620年，当年圣诞节，英国的移民来到北美洲马萨塞斯州的扑里莫士山时，那里到处是火鸡，于是他们因地制宜，就地取材，火鸡成了他们圣诞大餐的食品，这个习惯至今不变。

火鸡在荷兰语中称为“唐国鸟”，指证了火鸡产地。火鸡在我国有很多名称。如“吐授鸡”“真珠鸟”“避株鸟”“功曹”“锦囊”“孝雉”等，但以火鸡一名最为普遍。

明朝李时珍在《本草纲目》中，曾经这样记载：“火鸡出巴峡闽广山中，人多畜玩，大如家鸡，小者如鸽，头颊如雉，羽色多黑，杂以黄白圆点，如珠珠斑，项有素囊，内藏肉珠，平时不多见。”其实火鸡头部裸出，有红色肉瘤，喉子垂有红色肉瓣，它的羽毛色彩非常美丽。

火鸡是珍禽，应受到世人的保护，使它免遭“煮鹤焚琴”之灾。

鸡 诗词·名句

画鸡

明·唐寅

头上红冠不用裁，[1]满身雪白走将来。

平生不敢轻言语，一叫千门万户开。

注释

①裁：剪裁，割裂，用刀、剪等把片状物分成若干部分。

作者简介

唐寅（1470—1524），明画家、文学家。字伯虎，一字子畏，号六如居士、桃花庵主、逃禅仙吏等，吴县（今江苏苏州）人。

解说

公鸡头上如红花怒放的帽子是天生的，不用裁剪。它全身羽毛雪白，走过来。公鸡平时从来不敢随便啼叫，但是一旦叫起来，千家万户就随着打开门窗起床了。这首诗赞颂了雄鸡轻易不鸣，鸣则动人的品格。

过故人庄①

唐·孟浩然

故人具鸡黍②，邀我至田家。
绿树村边合，青山郭③外斜④。
开轩面场圃⑤，把酒⑥话桑麻⑦。
待到重阳日，还来就菊花⑧。

注释

① 过故人庄：拜访老朋友住的村庄。
② 黍：黄米饭。
③ 郭：城墙。
④ 斜：指山的样子从高到低。
⑤ 圃：菜园子。
⑥ 把酒：拿起酒杯。
⑦ 话桑麻：谈庄稼事。桑麻用来指庄稼。
⑧ 就菊花：亲近菊花。古人在重阳节要观赏菊花，这里的意思就是再来拜访。

作者简介

孟浩然（689—740），唐代诗人。以字行，襄州襄阳（今属湖北）人。

解说

老朋友做好饭，请我到他乡下的家。村子四周绿树环抱，城墙外青山相伴。打开窗，面对着打谷场和菜园；举起杯中酒，谈的是种田的事。诗人临走时，向主人表示等到重阳节再来赏菊花。

风雨如晦，
鸡鸣不已。
——《诗经·郑风·风雨》

披褐守长夜，
晨鸡不肯鸣。
——晋·陶潜《饮酒二十首·其十六》

鸡声茅店月，
人迹板桥霜。
——唐·温庭筠《商山早行》

羽短笼深不得飞，
久留宁为稻粱肥。
胶胶风雨鸣何苦，
满室高眠正掩扉。
——宋·司马光《鸡》

争似芳魂惊觉早，
天鸡不曙渡银河。
——清·龚自珍《紫云回三叠·其三》

斗鸡走马醉高阳

潘方尔水墨漫画

鷄 成语

呆若木鸡

战国时，纪渻子为齐王养斗鸡。他养的鸡，听见别的鸡叫，没有反应，看上去就像一只木头的鸡。（见《庄子 · 达生》）通常表示十分愚笨，也形容因为害怕或惊奇而发呆的样子。

呆：迟钝。

若：像。

鹤立鸡群

白鹤站立在鸡群之中。比喻一个有才能的人高出在一群人里。

鸡鸣狗盗

战国时，齐国孟尝君被扣于秦国。他的门客装狗，偷了狐皮袍子，送给秦王宠妃，得以释放。到了函谷关，要鸡叫才开门，一门客装鸡叫，就得出关。（见《史记 · 孟尝君列传》）通常泛指小偷小摸的不入流行为。

鸣：叫。

盗：偷东西。

杀鸡儆猴

也作“杀鸡吓猴”。用杀鸡来警告猴子。比喻用惩罚一个人的办法，来警告另外一些人。

儆：警告。

杀鸡取卵

杀死鸡来取鸡蛋。比喻只贪眼前的好处，不顾长远的利益。

卵：蛋。

闻鸡起舞

晋代祖逖立志效力国家，他半夜听到鸡叫，就起床舞剑练本领。（见《晋书 · 祖逖传》）比喻有志之士的奋发行为。

鸡 俗语

拔了毛的凤凰不如鸡

比喻人失去权势后，就连一般平民也比不上。

凤凰：古代传说中的百鸟之王，羽毛美丽，雄的叫凤，雌的叫凰。

逼着公鸡下蛋

比喻强迫人做不能做的事。

打败的鹌鹑斗败的鸡

像被打败的鹌鹑和被斗败的鸡一样。形容灰溜溜、萎靡不振的样子。

鹌鹑：一种羽毛深红色的短尾巴鸟。

蛋打鸡飞一场空

蛋打碎了，鸡飞了，什么都没有了，所以是“一场空”。比喻两头落空，什么收获也没有。也写作“鸡飞蛋打一场空”。

鹅蛋看不起鸡蛋

鹅蛋自以为比鸡蛋强，实际上它们都是蛋，差不了多少。形容骄傲自大的人，自以为了不起，实际上和别人差不多，没有什么特别。

耳朵塞鸡毛

比喻不愿意听别人的话，或对别人的讲话听不进去。

公鸡打架头对头

比喻对手相当或针锋相对。

鸡抱鸭子干忙活

鸡孵鸭蛋，孵出的都是小鸭，不是小鸡。比喻为无关的人空忙了一阵。

抱：孵蛋。

鸭子：鸭蛋。

干：白白地。

鸡肠兔儿胆

鸡的肚肠很细，兔子的胆子

很小。形容人的气量、胆量都很小。

鸡多不生蛋，人多吃闲饭

鸡养得太多，饲料分食不均匀，管理不好，下蛋就少。人一多，无事可做，只能吃白饭。指人多有时反而妨碍工作。

鸡公给黄鼠狼拜年，自投罗网

比喻自己走上死路。

鸡公：公鸡。

黄鼠狼：喜欢吃鸟禽，以偷鸡闻名。

嫁鸡随鸡，嫁狗随狗

旧时妇女没有地位，要服从“三从四德”教条，指不管嫁的人品貌好坏，都要跟定一辈子。

满山打野鸡，家里丢了大公鸡

雄的尾巴长，羽毛美丽，雌的尾巴短，羽毛呈灰褐色。善走，不能久飞。比喻一面到处寻找利益，一面却受损失。

野鸡：雉。

杀鸡焉用牛刀

杀小小的鸡，哪里用得了大牛刀？比喻办小事不需用大力气。

焉：哪里。

手中没把米，叫鸡鸡不来

比喻不能给人家好处，就不可能要人家跟着你走。

铁公鸡一毛不拔

铁做的公鸡，一根毛也拔不下来。比喻非常吝啬小气。

偷鸡不着蚀把米

贼偷鸡时，先撒米引诱，偷不着鸡时，这把米就损失了。比喻本想占便宜，反而吃了亏。

蚀：亏损。

未晚先投宿，鸡鸣早看天

天没晚就找好过夜的地方，

乙酉大吉

赵澄襄剪纸

早上鸡一叫就看好天色准备赶路。指出门在外要小心保重，不可耽误时候。

闻得鸡好卖，连夜磨得鸭嘴尖

听说鸡能卖好价钱，就连夜把鸭子的阔嘴磨尖了，好冒充鸡去卖好价钱。比喻一心贪利，也指赶浪头，赶时髦。

夜猫子拉小鸡，有去无回

比喻人和东西失去后无法再弥补。

夜猫子：猫头鹰。

一人得道，鸡犬升天

传说淮南王刘安修炼成仙之道，升天时把吃剩的丹药撒在庭院里，鸡犬吃了也一同升入仙界。比喻一人做官得势，和他有关系的人一起跟着沾光。

有鸡天也亮，没鸡天也明

指某人或某物在整个事情的发展过程中不起作用，有没有都不影响事情的最后结果。

鸡 典故

楚凤

传说楚国有人把山中的野鸡当作凤凰，并准备将它献给楚王，但是过了一夜野鸡死掉了，楚国人却误传为真的凤凰。（见《尹文子·大道上》）后用“楚凤”表示假冒物品。

斗酒只鸡

东汉桥玄和曹操是好朋友，他同曹操开玩笑说：我死后你如果经过我的坟墓前，不用一只鸡一斗酒祭我，车过三步，定叫你肚子痛。（见《后汉书·桥玄传》）后用“斗酒只鸡”指祭祀亡友的微薄祭品。

斗：古代酒器。

鸡窗

晋朝兖州刺史沛国宋处宗曾经买得一只长鸣鸡，他非常喜欢地养着它，常常把鸡笼放在自己的窗前。而鸡又能说人话，终日不停地与宋处宗谈话，并且谈论很有见解。因此宋处宗谈话的技巧大有长进。（见《艺文类聚》卷九十一载《幽明录》）后用“鸡窗”专指书房。

鸡犬新丰

汉朝刘邦当了皇帝后，他的父亲（太上皇）也迁居到京城，但却闷闷不乐。刘邦暗地打听到，原来太上皇所喜欢的东西，这里一样也没有。于是刘邦叫人按照家乡丰县的式样建造了新丰，又把丰县的居民甚至鸡犬都迁来了。由于新丰建造得与丰县一模一样，所以，连鸡犬都认得自己的家门。（见《西京杂记》）后用“鸡犬新丰”表示虽在异地他乡却如同在故乡一样熟悉欢乐。

新丰：地名。

鸡黍

春秋时子路经常跟从孔子出游。一次子路在路上寻找孔子，遇见一位正在劳动的老人，便向他打听。由于子路的态度非常恭敬，因此，到了晚上，老人留子路住宿，还杀了鸡，做了小米饭款待他。（见《论语·微子》）后用“鸡黍”专指招待客人的饭菜。

黍：即小米。

家鸡野鹜

家鸡和野鸭。

晋时庾翼的书法和王羲之的书法在当时是一样有名，后来王羲之的书法盛行起来，甚至连庾翼的小辈们也都学习王羲之的书法。于是庾翼把自己的书法比作家鸡，把王羲之的书法比作野鸭。庾翼在写给友人的信中说：小儿辈讨厌家鸡却喜欢野鸭。(见《晋中兴书·颍川庾录》)后用“家鸡野鹜”比喻不同的书法风格。用“厌家鸡”比喻喜欢新奇的东西而厌恶平常的。

山鸡舞镜

相传，山鸡非常喜爱它美丽的羽毛，经常映着水跳舞。三国时，南方曾献给曹操一只山鸡，曹操很想看它啼鸣跳舞。于是，曹操的儿子曹冲令人拿来一面大镜子置放在山鸡的面前。山鸡看到了自己的羽毛非常美丽，便跳起舞来。它跳个不停，直到死去。(见《异苑》)后用“山鸡舞镜”比喻为自己的美丽而矜持。

陶犬瓦鸡

陶土捏成的狗，泥巴塑成的鸡。南朝梁元帝萧绎说：用陶土捏成的狗不能守夜，用泥巴塑成的鸡早晨不能报晓。(见梁元帝《金楼子·立言下》)后用“陶犬瓦鸡”比喻有名无实，没有用的东西。

雄鸡断尾

传说春秋时的宾孟到郊外去，看见雄鸡自己在折断自己的尾巴，便问身边的随从人员：这是为什么呢？侍从回答：雄鸡害怕养肥了作为祭祀祖庙的祭品，所以它要自我摧残。(见《左传·昭公二十二年》)后用“雄鸡断尾”比喻人们担心谗言，也比喻甘心做平凡无用的人。

鷄 风俗

斗鸡会

汉族和仫佬等少数民族民间娱乐集会。流行于河南、广西等地:各地举行的时间和形式各异。广西罗城、东门等地在每年秋后

十二生肖：鸡

徐悲鸿

或春节举行。斗鸡场设在空旷地，用竹片编成3～5米宽的斗鸡笼，笼外置计分桌，按鸡的斤两，从小到大比赛。斗完一局，计一次分，以积分多者为胜。获头笼的，被看作是全村的光荣。

公鸡拜

汉族渔民婚姻旧俗。流行于东南沿海地区。渔民成婚当天，如新郎出海捕鱼未能赶回，男家便用公鸡代行“拜堂”。由小姑或伴郎手提公鸡，按鸡头和新娘交拜。拜堂后，在鸡颈上悬一条红布，关进鸡笼，放在洞房中，并以饭食喂养，待新郎出海归来后，才将公鸡放出。

挂鸡腿骨

苗族民间记岁风俗。流行于今广西隆林各族自治县等地。子女过生日，父母杀鸡庆贺，然后把吃剩的一对鸡腿骨挂在篱笆上，一直挂到十七岁。当地人们问孩子年龄时，只问几对鸡骨，不问几岁。

鸡毛信

古称“羽书”。通信风俗。因在信件上黏附鸡毛，表示迅疾而得名。秦汉时已有，在信封上注以表示紧急的特殊信号，俗称“鸡毛信”。在中国历次革命战争中，尤其是抗日战争中运用很广。旧时黎族交际中，用白藤打成圆圈，插上鸡毛，也称“鸡毛信”。一般在械斗前送给对方，作为“最后通牒”。

鸡（鸭）头敬客

侗族民间交际风俗。流行于贵州、广西部分地区。凡有客人前来，主人必杀鸡、鸭。吃饭时，先敬客人鸡（鸭）头、鸡（鸭）脚，表示对客人的尊敬。

叫化鸡

汉族传统名菜。流行于江苏、

浙江等地。相传有一“叫化”（乞丐）得到一只活鸡，因无锅灶煮食，就用湿泥包裹鸡身，用火烤熟，泥硬后，连同鸡毛一起脱开，食时香味扑鼻，鲜美异常。现制法稍不同，将鸡杀好拔毛挖尽内脏后，用海鲜、香菇等塞于腹内，外包荷叶，再涂湿泥，烤熟后，色香味俱佳。

饮鸡血酒

旧时汉族和部分少数民族交际风俗。流行于全国许多地区。一种交际方式。民间在结拜兄弟时，为表示决心，用刀斩一只雄鸡，在每碗酒里洒几滴鸡血，对天发誓，然后各饮尽碗中血酒，表示亲如兄弟，有福共享，有难同当。

迎春公鸡

亦称“春鸡”。汉族民间岁时饰物。流行于山东南部地区。立春前，年轻妇女用彩色碎布缝制“送春娃娃”“迎春公鸡”之类节日佩饰物，立春日佩挂在孩子身上。春鸡用纸底花布裹棉花，形状如菱角，一角尖端缀花椒仁作鸡眼，另一角缝几根与身等长的花布条作鸡尾，造型朴拙，具有浓郁的鲁南气息。春鸡钉在孩子左衣袖上，有新春吉祥之意。一般于农历正月十六日到庙会上将布鸡扔掉。此俗今仍流行。

鸡 格言

宁为鸡口，无为牛后

——《战国策·韩策一》

宁愿做鸡的嘴巴，不愿做牛的肛门。比喻宁可在小范围内独立自主，不愿在大范围内跟在别人后面受支配。也有“宁为鸡头，不做马尾”的说法，意义与此相同。

无为：不要做。

鸡 神话

安阳书生斩众妖

——《搜神记》卷十八

河南安阳城南有个客店，旅客若投宿，必定死去。有一书生到店住宿，晚上在灯下读书，见有人呼喊店主。书生偷看来者穿着黑衣，店主相告店内有一个书生还没入睡。黑衣人叹息而去。不久又有一个头戴红巾的人前来，见书生未睡，也叹息而去。书生提剑出屋，问店主那两人是谁，店主说黑衣人是北舍母猪，戴红巾的是西舍老公鸡，店主自称是老蝎精。书生这才明白，旅客死去都因三精作怪。等天一亮，书生提剑去找，果见一只老蝎大如琵琶，就把它杀了。又到北舍和西舍杀了老母猪和老公鸡。众妖被除，店内再无灾祸。

陈宝

——《搜神记》卷八

东周时，陈仓（古县名，治所在今陕西宝鸡市东）地方有人掘得一个怪物，羊不羊，猪不猪，就把它牵去献给秦穆公。路上遇到两个孩子，说这东西叫“媪”，常在地下吃死人脑，如要杀它，只要把柏树枝插入它的头就行了。怪物突然开口，说那两个孩子叫“陈宝”，是一对山鸡变的，得到雄的可做王，得到雌的可称霸。陈仓人放开怪物去追那两个孩子，孩子变成山鸡飞入树林。陈仓人把他所遇之事告诉了穆公，穆公派人大规模围猎，抓得雌鸡，立即化为石头。雄鸡飞到南阳。穆公在陈仓为它立了陈宝祠。每当祭祀之日，雄鸡必定飞来，在上空长鸣。陈仓改名“宝鸡”。

鸡 寓言

拨草得鸡

——刘基《郁离子》

有个农夫用草来遮护他家的篱笆，忽然听见草里面有唧唧的叫声，就拨开草来看，发现了一只野鸡。于是他又抱了好多草，盖在篱笆上，希望能再次捉到野鸡。第二天，他趴到草堆那儿去听，又听到唧唧的声音，他拨开草堆，里面却是一条毒蛇。蛇咬伤了他的手，他中毒而死。

◇老想着不劳而获、意外发财，总有一天要碰上倒霉的事。

鸡犬升天

——《神仙传》卷四

汉朝淮南王刘安喜欢与神仙交往，学习仙术。一次，有八位须发皆白的仙翁来他家做客，刘安盛情款待他们。八位仙翁为了表示感激，传授给他长生不老的仙术，教他炼成仙丹灵药。刘安吃了仙丹，与仙翁一起升天而去。他家的鸡犬舔啄了庭院里盛仙药的器皿后，也都跟着飞升上天，一时出现鸡鸣天上、犬吠云中的奇观。

◇比喻一人做大官，同他有关系的人也跟着得势。

鸡

潘方尔肖形印

外国动物故事

清晨的雄鸡与希望之声

［墨西哥］

在墨西哥的一座小村庄里，村民们靠种植玉米和饲养牲畜维持生计。每天清晨，当第一缕阳光洒在广袤的田野上，一只名叫索洛的雄鸡总会站在村庄中心的围栏上，发出响亮的啼鸣："喔喔喔——！"它的声音清脆有力，像一曲充满希望的晨歌，唤醒村民们开始新的一天。

村民们常说，索洛的啼声不只是唤醒村庄，更是驱散夜晚的黑暗和恐惧。然而，最近一段时间，村庄被一种阴影笼罩。连续数周的暴雨让村庄的农田被淹，庄稼大面积受损，村民们的心中渐渐生出绝望。

一天清晨，暴雨终于停歇，但天色依旧阴沉。索洛站在围栏上，张开喙想要啼叫，却发现自己的声音被风雨的暴虐压制住了。村民们醒来后，看到的是满目疮痍的田野和无精打采的家禽，心中不禁涌起浓浓的失望。

村长安东尼奥带着沉重的步伐来到村庄广场，长叹一声："暴雨摧毁了我们的粮食和希望，我们要怎么重建家园呢？"

索洛站在一旁，静静看着村民们愁眉苦脸的样子。它心中燃起一股不甘的情绪："不，我不能让村民们失去希望。"索洛决定找到恢复自己力量的方法，重新唤起村民们的斗志。

夜幕降临时，索洛悄悄离开村庄，走向村庄后方的圣山。传说，圣山顶有一棵古老的太阳树，树叶闪烁着金光，能赐予万物力量和勇气。索洛穿过树林和荆棘，羽毛被刮伤了，但它始终没有停下脚步。它的心中只有一个念头：找到太阳树，让村民们再次听到那熟悉的晨歌。

深夜时分，索洛终于到达山顶，眼前的景象让它屏住呼吸——太阳树在月光下熠熠生辉，金色的叶片随风舞动，发出微弱的光芒。索洛靠近树干，低声说道："伟大的太阳树，请赐予我力量，让我能为村庄带来新的希望。"

太阳树仿佛听到了它的请求，轻轻摇动枝叶，一片金叶飘落在索洛的头顶。刹那间，索洛感觉到一股暖流贯穿全身，声音也恢复了往日的力量和清澈。它知道自己已经得到了太阳树的祝福。

天亮前，索洛飞奔回到村庄，跳上围栏。村民们还在沉睡，脸上挂着疲惫和担忧。索洛深吸一口气，发出自从暴雨以来最响亮的啼鸣："喔喔喔——！"它的声音穿透了晨雾，回荡在每一个角落。

村民们惊醒，听到索洛熟悉的叫声，纷纷走出家门。天空渐渐亮起，乌云散去，太阳终于露出脸庞。村长安东尼奥看着索洛，脸上浮现出一丝笑容："这是索洛的叫声，我们的晨光终于回来了！"

受到索洛啼声的鼓舞，村民重新聚集，开始修复田地和房屋。索洛站在围栏上，骄傲地看着这一切，感到自己的使命终于完成了。

邓明书法　潘方尔水墨漫画（局部）

gǒu

狗

《辞海》中的释义

1. 犬。《尔雅·释畜》:“未成豪，狗。”郝懿行义疏:“狗犬通名，若对文，则大者名犬，小者名狗。”
2. 熊虎之类的幼兽。《尔雅·释兽》:“熊虎丑，其子狗。”邢昺疏:“丑，类也。熊虎之类，其子名狗。”
3. 比喻供人役使、助人作恶者。如：走狗。

组词

狗盗 / 狗偷 / 狗尾续貂

鸡鸣狗盗 / 嫁狗随狗 / 鼠窃狗盗 / 兔死狗烹 / 蝇营狗苟 / 跖狗吠尧

白云苍狗 / 刍狗 / 斗鸡走狗 / 飞鹰走狗 / 画虎类狗 / 嫁狗随狗 / 丧家狗 / 瘈狗 / 走狗

戌狗

邓明书法

戌狗是十二生肖中“狗”的全称，“鸡司晨，犬守夜”，传说因狗在戌时履行职责，而列为地支的第十一位。甲骨文、金文里已有“犬”和“狗”字。几千年前的岩画、新石器时代陶器、汉代画像砖上，都有狗的形象，唐三彩里面更有犬俑；《集异记》《搜神记》里有知恩图报、劝主避祸的义犬。其作为生肖的象征意义，在于尽职守信、忠诚勇敢。

Dog

狗

郑辛遥简笔画

义犬救主和不许杀狗

苏北某地有个村庄，它有一个很奇怪的名字——狗儿茔。就是狗的坟墓的意思。为什么给一个村庄起了这么个怪名字呢？说起来啊，还有一段有趣的故事哩。

在好几百年之前，这“狗儿茔”村并没有人家，只有一条弯弯曲曲的小河，河北是荒凉的野草，荆棘丛生，一片荒凉景象。

小河的河东和河西几里远的地方，各有一个小村庄，两个庄子上有一对要好的朋友。东村的姓陈，爱酒如命。喝起酒来，总爱一醉方休。他养了一条黄狗，不论是下地干活，还是走亲访友，都要把这条黄狗带在身边。

有一年深秋，姓陈的被西村的朋友请去喝酒，两个人聚在一起，真是“酒逢知己千杯少”，从早晨一直喝到黄昏，喝得舌头根都发硬了，才被家里人劝住。西村的朋友让家里人送姓陈的回家，姓陈的说啥也不肯。为什么？喝酒的人都是这个毛病：没醉的时候，自己说醉了；真的喝醉了，反倒怕人家说醉，并再三声明“我没有醉”。姓陈的听说让人送他回家，那不等于说他醉了吗？这可不行，朋友家人拗不过他，没别的办法，路又不远，所以也就让他自己走了。

再说姓陈的就带着自己的黄狗，一步三摇地离开了朋友家。走到小河边时，他实在支撑不住，就醉倒起不来了。黄狗见主人不动了，也伏在主人身边，一动也不动。

这时，在上风头突然着起了大火，黄狗急了，又是咬又是叫，可不省人事的主人就是不醒。眼看火势在蔓延，大火要烧到主人了，黄狗突然跑到河边，跳进水里，把身上沾满了水，再到主人身边，把草打湿。就这样，一趟又一趟，不知来回跑了多少趟。由于劳累过度，黄狗也倒下了，但它还是坚持着爬到主人身边，就再也不动了。

一直到第二天早晨，太阳升起来以后，姓陈的醉汉才醒来，看到周围的情景，他先是一愣，接着才恍然大悟：狗是为了救自己才累死的。为了报答这条黄狗的救命之恩,姓陈的人发誓今后再也不喝酒了。他郑重其事地把狗埋葬在它死的地方,还专门为狗立了一块碑。后来，这儿陆续住上了人家，大家都传诵着黄狗救主的故事，也就用“狗儿茔”来称呼这个地方，一直延续了几百年。“义犬救主”的故事也流传了下来。

我们知道，狗性勇猛好斗，它的视觉、听觉和嗅觉都很敏锐，又特别警觉。所以夜深人静之际，用狗来守夜是最好不过的。狗又能追踪兽迹而助田猎。由于狗的这些特征，因此人类早在史前时代就收它驯养，成为家畜之一。我们在许多电影中都可以见到“牧羊犬”，那是放牧的人所驯养的狗，公安局和边防军战士牵着狗破案，追踪坏人以及巡逻放哨，又成为“警犬”或“军犬”。狗不但忠于职守，对人也很有情义，所以一直成为人类忠实的朋友，因为它忠于主人，而常常被誉为“义犬”。

我再说一个古代“义犬救主”的故事：相传在我国的魏晋时代，

有一个很有名的文士叫陆机，他曾经养有一条善解人意的狗，还特意给狗取了个名字叫“黄耳”。

有一回陆机在京师（就是现在说的首都），有急事要告诉家里人。那个时候交通很不方便，通信条件也相当落后。他一下子又找不到一位能托付报信的信使。陆机为这个事大伤脑筋，他去院子里踱步时，突然见到了黄耳，灵机一动，把黄耳叫了来，吩咐道：“黄耳呀！这次可要劳驾你喽！我把这封信写好，你就替我带回去，还要讨得回信后才能返回来！”

黄耳听了陆机的话以后，像是了解了主人的重重心事和这项任务的重要性一样，摇头摆尾，满心欢喜地领受了任务。陆机把写好的信，绑在黄耳的后腿上，拍拍黄耳的头以示亲热，黄耳就出发上路了。

这段时间，陆机在京师坐卧难安，坐着不是，躺下又睡不着，为了盼望黄耳能回来，都快把门框倚坏了。过了 50 天，才见黄耳形容憔悴地狂奔归来。陆机如释重负，他连忙卸下黄耳带回的信，安抚了一下黄耳，就赶紧解信细读。等到陆机读完信后，才惊觉不辱主命的黄耳已卧倒在旁，力竭而亡了！陆机感到十分伤心，就在离家不远的地方，替黄耳筑了个墓冢，这个地方就是后人称道的“黄耳冢”。

明清时代的一些小说笔记中，有不少讲义犬的故事。在我国元明杂剧中有一出戏，就叫《义犬记》，说的是袁粲家的狗为它家少爷报仇，噬杀坏人狄灵庆的故事。

有一句俗话说：“子不嫌母丑、狗不嫌主贫。”那意思是说，儿子不嫌弃母亲长得难看，狗不嫌弃主人家境的贫寒。尽管主人穷得一贫如洗，甚至三餐难度，而他所饲养的狗照样忠心耿耿，尽责尽力，决不会因主人的贫穷而离去。它对残羹剩饭，糠粃糟粕，都甘之如饴。

即使你将它送给别人喂养，日久异地与主人相见时，它还会摇尾亲近你，可见狗又是念旧日之情的。

狗的确是人类的朋友。但是，是否就因此而应该把狗抬高到不适当的地步呢？狗在被人类饲养后，无可避免地成为人类的肉食品之一。但是却经常能见到有人因自己生肖属狗而不准杀狗，以致产生了一些矛盾和纠纷。

这种笑话从古到今一直是有的。相传宋朝时候，宋徽宗崇宁年间，有一位叫范致虚的官员，他为了讨好皇帝，向皇帝提了一个建议，说："皇帝您是壬戌年所诞生，皇帝您比我更清楚。我建议圣上下一道诏书，命令民间一律不许杀狗。"

皇帝听了这个建议，心想：对啊！我的生肖是属狗的，人间杀狗，不正是冲着我来的吗？！于是，就采纳了范致虚的意见，真的下了一道诏令：民间一律不准杀狗！谁若杀狗，将受到严厉的处罚。身为万乘之尊的帝王，如此昏庸糊涂，真是既可悲而又可笑！

“狗逮老鼠”是多管闲事吗？

我国一直流传着这样的歇后语：“狗逮老鼠——多管闲事”；也有的地方称“狗撵耗子——多管闲事”，它们的意思都一样，都是比喻干涉、过问与己无关或无关紧要的事。

为什么会有这样的歇后语？因为猫历来被认为是老鼠的冤家对头，是捕鼠专家；而且猫灵敏、玲珑、乖巧，很讨人喜欢。既然捉老鼠是猫的事，狗去捉老鼠，就被人们认为是非分之举，也就是多管闲事了。

其实，在我国猫还没有被引进来的时候，狗确实担负过捕鼠的职责。那个时候，狗逮老鼠，实在是它的“分内事”。

陈寿撰写的《三国志》上，记载着这样的故事：

有一个人叫丁斐，在曹魏政权里担任典军校尉的官职。丁斐这个人，虽然品行不怎么好，但很有军事才能。曹操对丁斐非常赏识，因而也比较喜欢他。

丁斐最大的缺点是贪财，他行军打仗，每到一地，总要为自己捞取点什么，塞进自己的腰包。这样的人，名声肯定不大好听。

一次，丁斐随曹操与吴国孙权率领的军队打仗。他老毛病又犯了。这回，他搞的是非法买卖，把一批官牛卖给私人，所得的收入又都进入了他的腰包。这件事败露后，曹操在盛怒之下，把丁斐的官职给免了。曹操尽管作出了这个命令，他仍然感到很痛心，毕竟是自己的一员爱将啊！况且战争期间又是用人之时，临战易将是犯兵家的大忌的。

一次，曹操当着众人的面，把丁斐叫到跟前，责备和数落了他一顿，最后还是原谅了他。

“你的印绶还在吗？”曹操最后问他。

丁斐知道主帅已经原谅了他，再三表示要痛改前非。当问及印绶时，印绶自然在他身边，但他故作沉重，神情严肃地说道：“哎呀，已经被我换了饼吃了。”发出了一阵哄笑。

曹操指着丁斐对左右的文臣武将说：“大家听着，丁斐有过失，但他是个人才。我的用人之道是唯才是举。我有丁斐，好像人家有盗狗而善于捉鼠。狗有小偷小摸的偷盗行为固然不好，但是这条狗能够逮老鼠，使保存贮藏的物品不受损害，所以，我还是启用了他。”

于是，犯了过失的丁斐又恢复了官职。

我们从这个故事中也可以了解到当时的风气，狗是老鼠的克星。曹操评论丁斐的话，可以证明这一点。

我国的晋朝，可以说是中国历史上一段黑暗的时期。那个时候，贾后专权，遂有“八王之乱”，老百姓饱受战争的痛苦和创伤。东海王司马越打败了河间王司马颙、成都王司马颖之后，挟持着晋惠帝还都洛阳。在这种形势下，当时有一句童谣在市井乡里流传：

洛中大鼠长尺二，

若不早去大狗至。

这句童谣的意思是：洛阳城里有长长的大老鼠，如果它不及早离开，大狗必定要来把老鼠吃掉，童谣本身也反映了当时民间有狗来捕鼠的风气与习俗。但这里的“鼠”和“狗”又有特别的含义。

挟持着晋惠帝得胜回朝的司马越，他是属鼠的。而原先支持司马越，并且全力与他合作的将军叫荀晞，则是属狗的。这句童谣预示着：如果司马越不离开洛阳城，荀晞就要起兵将他消灭掉。

在传播这句童谣时，荀晞还统兵在外。他正在帮助司马越打击敌人的残余力量。可是，偏偏这句谣言又传到了司马越的耳朵里。他想：是啊，荀晞手握重兵，胜利以后，必定不听我的调遣，还不如趁早防范，伺机先下手为强。从此，两人之间互相猜忌，矛盾日益加深以致反目成仇。

最后，荀晞果然打着“清君侧”的旗号（就是要清除皇帝身边的坏人），率军来讨伐司马越，司马越被束手就擒。看来，真的是应了那句“狗捉老鼠”的童谣。

“狗兔结仇”和生肖相克

古往今来，狗见到兔子就穷追不舍。它们为何结下了世代冤仇呢？民间一直流传着这样的故事：

古时候，狗和兔子都在玉皇大帝的座下，一是御犬，一是御兔。一天，玉皇大帝升座在凌霄宝殿，差遣犬、兔下凡，察看万物生长情况。

狗和兔子领旨来到尘世间，它们首先降落在小麦田里。当时是春暖花开季节，小麦正在拔节孕穗。但麦穗长多大，自己不能做主，一定要按玉皇大帝的旨意。狗很了解民间疾苦，它对兔子说：“回去禀报玉皇，让麦穗多长一点，长得和我的尾巴一样粗一样长吧，让黎民百姓年年丰收，岁岁饱暖。”

兔子听了大为不满，“长那么又粗又长干什么？”又说，“麦子不够吃，让百姓们吃青草不行吗？我就喜欢吃青草，麦穗长得和我尾巴一样短小就行啦。”

狗、兔在麦田里争吵，你一言，我一语，各不相让。最后禀报玉皇大帝决断。

犬和兔乘祥云一路回天庭，在云端仍然争吵不休。突然，御犬发现一群野驴在麦田里啃麦苗，急忙收住脚步，再度降落麦田，赶跑了野驴。兔子却不管闲事，一头钻进凌霄宝殿，奏明玉皇大帝，要求麦穗长得和它尾巴一样短小。

御犬落后了，等到它来到玉皇大帝面前时，玉皇大帝已经降旨：让麦穗长得和兔子尾巴一样。御犬听了很着急，还想奏明民间疾苦，可是玉皇大帝已经无心听它的申诉，卷帘退朝了。

而这时，只见兔子坐在一旁，那短小的尾巴扫地似地摇个不停，噘着豁嘴，洋洋得意，把御犬气得汪汪乱叫，扑过去就咬兔子。兔子撒腿就跑，于是狗就天上地下的追兔子。从此，狗一见兔子就追开去啦！

这个故事，不过是民间的一个传说，不必信以为真。但是，算命先生却因此认为生肖属狗的和属兔的掺和不到一起，尤其是把生肖中的相生相克与婚配纠缠在一起，搞得十分荒唐。曾经流传过这么一段相当有代表性的歌谣，那歌谣说道：

只有白马反青牛，羊鼠相交一旦休。
蛇虎配婚如刀错，兔儿见龙泪交流。
金鸡玉犬难则避，猪与猿猴不碰头。

诸如此类的名堂，真是不胜枚举。直到今天，在我们的社会生活里，有时还会产生着影响。

其实，对这些荒谬的说法，不少明智的古人，就曾经进行过驳斥。东汉时代杰出的唯物主义思想家王充，在他的著作《论衡》中就一针见血地指出：

> 把生肖与五行的相生相克搞在一起，是十分荒谬的。鼠和马，在五行中分别代表水和火，水胜火，为什么鼠跑不过马？鸡和兔，在五行中分别代表金和木，金胜木，为什么鸡不去啄兔子？牛、羊和猪，在五行中分别代表土和水，土胜水，为什么牛、羊不去杀猪？蛇和猴，在五行中分别代表着火和金，火胜金，为什么蛇不去吃猴子？生肖的所谓相生相克，实在是无稽之谈。

清代小说《镜花缘》的作者李汝珍，更进一步指出：按照十二生肖，人在未年出生的都属羊，在寅年出生的都属虎，难道羊年出生的都是羊，寅年出生的，又为什么竟变成了老虎？老鼠好偷窃、蛇最为阴毒，那么属鼠的、属蛇的人，难道真的都变成了偷窃、阴毒之辈了？反过来说，龙为四灵之一，12 生肖中也许是最好的一种了，那我们又怎么能说辰年所生的、属龙的人都是贵命呢？

这些真知灼见，的确值得我们反复品味和思考。

在日常生活中，我们经常可以听到这样的议论，某人八字好，生活幸福；某人八字不好，生活穷苦。这“八字”就是所谓生辰八字。

什么是八字？顾名思义，就是八个字。每个人在呱呱坠地的那一刻，总是某年某月某日某时。古人用干支来记岁、月、日、时，合起来就有八个字，八个字怎么能决定一个人一生的命运好坏呢？

根据古代“阴阳五行说”，以阴阳二气的相对势力，作为天地万物生成的基础。阴和阳两种势力，可互相消长。阴极度增长就变为阳，阳极度增长则变为阴。这样错综复杂的交替，形成了宇宙间千变万化的现象。把 12 地支对应于五行，又引伸出生肖的相克，用它来附会、推算人的命运。实际上，这些所谓五行相生相克的说法，也仅仅是文字的表面含义上想象出来的。所谓木生火，火生土，土生金，金生水，水生木；另一方面，水胜火，火胜金，金胜木，木胜土，土胜水；这些所谓五行相生和相克的说法，最多只是古代朴素的唯物主义对于物质的一种解释，其实，并没有多少科学的根据。

但是，在长期的封建社会里，这种相生相克的说法却得到了广泛的传播。民间的巫师、神汉、算命先生等，就是根据干支知识，利用五行中那些牵强附会的说法，来欺骗和唬弄人民。他们根据人的生辰八字，如果所含的五行俱全，就说是好八字，一生之食无忧；倘若八字中五行不全，就得出一生中多灾多难的结论。他们还根据人的属相来作出结论，一定要选择另一特定的生肖的人作朋友，或成亲，否则就会带来不幸。这种推论同样是缺乏科学根据的。

我们知道，在人的生辰八字里，头两个字是年的干支。可是，我国古代夏、商、周、秦各以立春、小寒、大雪、立冬为一岁之首，从汉武帝开始，又是以每年的立春为岁首，每年的干支从岁首算起，那么不同的朝代，就有不同的干支，同一个人就有不同的八字了。其次，生辰八字中以岁、月、日、时的干支，就更存在问题了。且不说节气日期各有不同，即使都是以节气时刻为准，唐、宋、元、明、清历朝历代的干支，也不一样。我国幅员辽阔，北京和新疆的时差就很大，用生辰八字来算命，岂不是无稽之谈！

根据粗略的统计，现在世界上平均每半秒钟就出生一个人。古代一个时辰，相当于现代的两个小时，也就是说，世界上同年同月同日同时辰出生的人，就有 14 400 人。按照算命术，这些出生在不同国家，不同地区，不同家庭的人，应该是同一个命运，就是说，要么都是富人，要么都是穷人，这不是一个十足的笑话吗？

我能叫

潘方尔水墨漫画

狗 诗词·名句

犬

明·于谦

护主有恩当食肉，却衔枯骨[1]恼饥肠。
于今多少闲狼虎，无益于民尽食羊。

注释

① 枯骨：指死者的朽骨。

作者简介

于谦（1398—1457），明浙江钱塘（今杭州）人，字廷益。永乐进士。正统十四年（1449）土木之变后，拥立景帝，反对南迁，保家卫国，最后却惨遭冤杀。

解说

犬对人有恩，看家护院，却不得吃肉，只能找来枯骨充饥。狼虎闲着没事干，尽食老百姓的羊。通过犬与狼虎的对比，作者鞭挞了那些鱼肉百姓的贪官，表达了对劳苦大众的真切同情。

逢雪宿芙蓉山主人①

唐·刘长卿

日暮苍山远，天寒白屋②贫③。
柴门闻犬吠，风雪夜归人。

注释

① 逢雪宿芙蓉山主人：赶路时碰到大雪天，住在芙蓉山的人家里。芙蓉山，山东、湖南都有，这里不知是指哪一座。

② 白屋：茅草屋，茅草干枯后就变成了白色。

③ 贫：破旧。

作者简介

刘长卿（？—约789），唐代诗人。字文房，宣城（今属安徽）人，一作河间（今属河北）人。

解说

已到了黄昏，暮色苍茫，山路漫长。天寒地冷，赶路的人急于投宿。忽然，抬头看见一间简陋的茅草屋，还听见门前的狗叫声。赶路的人心里很高兴，他顶风冒雪，一步步朝小屋走去。

犬吠水声中，桃花带露浓。

——唐·李白《访戴天山道士不遇》

旧犬喜我归，低徊入衣裾。

——唐·杜甫《草堂》

白云将犬去，芳草任人归。

——唐·刘长卿《湘中纪行十首·洞山阳》

寒花催酒熟，山犬喜人归。

——唐·钱起《送元评事归山居》

此行无弟子，白犬自相随。

——唐·贾岛《送道者》

乌喙本海獒，幸我为之主。
食余已瓠肥，终不忧鼎俎。

——宋·苏轼《予来儋耳得吠狗曰乌觜甚猛而驯随予迁合浦过澄迈泅而济路人皆惊戏为作此诗》

犬吠嘹嘹惊夜梦，
月明千里故人来。

——明·唐寅《题画二十四首·其二十一》

丙戌兴旺

赵澄襄剪纸

狗 成语

狗仗人势

比喻坏人倚仗主人的权势来欺压人。

狗急跳墙

比喻人到走投无路时，就会不顾一切地蛮干。

狗尾续貂

《晋书》上记载由于任命官员太滥，貂尾不够用，只好用狗尾巴来代替。后比喻用差的东西接在好的东西后面。

续：接上去。

貂：一种珍贵的动物，古代皇帝的侍从用貂尾缀在帽子上作为装饰。

狐群狗党

像狐狸和狗成群结党。比喻相互勾结在一起的坏人。

狂犬吠日

疯狗对着太阳叫。比喻坏人不自量力地叫嚣。

狼心狗肺

狼的心，狗的肺。比喻人的心肠狠毒。

犬牙交错

也作“犬牙相错”。像狗的牙齿那样长短不齐。比喻交界线十分曲折。也比喻情况复杂，双方有许多种因素参差混杂在一起。

错：杂、不整齐。

犬牙相制

原指地界线像狗牙似地交错而置。现比喻互相牵制。

制：牵制。

丧家之犬

原指办丧事人家的狗，后指没有主人豢养而无家可归的狗。

比喻失去依靠，无处投奔的人。

蝇营狗苟

也作“狗苟蝇营”。像苍蝇那样飞来飞去追逐脏物，像狗那样苟且偷生，不知羞耻。比喻人不择手段地去追求名利，连苍蝇和狗干的事情也会干出来。

营：钻营。

苟：苟且。

粤犬吠雪

生长在广东的狗，因为气候温和，少见下雪，因此见了雪就会大叫。比喻少见多怪。

粤：广东。

捉鸡骂狗

捉了鸡却去骂狗。比喻明指甲方，实际上暗骂乙方。

狗 俗语

大狗爬墙，小狗学样

大狗往墙上爬，小狗就跟着学。比喻大人怎么做，小孩也就跟学着怎么做。

恶狗咬人不露牙

凶恶的狗咬人不露出牙齿。比喻坏人做坏事，表面上往往让人看不出来，手法特别隐蔽险恶。

儿不嫌母丑，狗不嫌家贫

儿子不会嫌弃母亲不好看，狗不会嫌弃主人贫穷。比喻不会嫌弃养育自己的人和环境。

狗眼看人低

比喻势利的人以地位高低、权势大小，衣服华丽与否而对人采取不同态度。

狗咬刺猬，无处下口

比喻无从下手，也指话不知从那儿说起。

刺猬：全身长着硬刺的小动物。

狗啃骨头，津津有味

嘲讽人们对某件事特别有兴趣。

津津：很有滋味。

狗嘴里吐不出象牙

比喻坏人嘴里说不出好听的话来。

狗咬吕洞宾，不识好人心

比喻把别人的一片好心，当作恶意。

吕洞宾：神话传说中的八仙之一，爱帮助救济别人。

黑狗偷了油，打了白狗头

黑狗偷吃了油，却打了白狗的脑壳。比喻惩罚不当，错怪了人。

好猫不叫，好狗不跳

比喻能力强的人不夸夸其谈，不显露自己的才干。

好狗护三邻，好汉护三村

指英雄好汉能够维护好众人的利益。

狼走千里吃人，狗到天边吃屎

狼不管走到哪里都是要吃人的，狗不管走到哪里都是要吃屎的。比喻坏人的本性不会改变。

篱牢犬不入

篱笆扎得牢固紧密，野狗就钻不进来。比喻提高警惕，防范严密，坏人就无法钻空子。

篱：篱笆。

良心被狗吃了

指心肠歹毒，没有良心。

卖狗皮膏药

旧时江湖郎中常用假的狗皮

十二生肖：狗

徐悲鸿

膏药骗钱。比喻用假话或假货行骗。

馒头落地狗造化

馒头掉在了地上正好给狗吃掉，这是狗遇到了好运气。比喻人遇到了意料不到的好运气。

造化：好运气。

猫一天，狗一天

猫的性情较温柔，狗的性情较粗暴，意谓人的脾气一天似猫一天似狗，时好时坏，变化无常。多用来指小孩。

猫养的狗不亲

比喻自己生养的孩子别人不会亲。

猫头上抓抓，狗头上摸摸

指做事没有计划或没有定准。

女大自巧，狗大自咬

女孩子长大后自然会灵巧，小狗长大后自然会叫。

人打江山狗坐殿

比喻好人艰苦创业，坏人却窃取果实，坐享其成。

人急悬梁，狗急跳墙

人急了会上吊自尽，狗急了会跳墙乱窜。比喻人被逼得走投无路时会做出过分出格的事。

肉包子打狗，有去无回

用肉包子打狗，正投了狗的所好，成了狗的美食。比喻东西放了出去却收不回来或人一走就不回转。

死狗扶不上墙

犹“扶不起的刘阿斗”。讽喻庸碌无能的人，别人扶也扶不起他来。

身上有屎狗跟踪

比喻自身有弱点，就会招引坏人来纠缠。

小巴狗咬月亮，不知高低

小巴狗跳不高，却想咬天上的月亮，这是因为它不知道月亮很高很高，所以说“不知高低”。比喻小孩子不懂事，说话不知道轻重。

小巴狗：一种卷毛矮脚狗。

一犬吠影，百犬吠声

一条狗见到陌生人就叫起来，其他的狗听到叫声也跟着叫。比喻不分辨事情的真伪，盲目地附和别人。

指鸡骂狗

谓手指着鸡，而嘴却在骂狗，比喻表面上骂这个人，而实际却在骂那个人。

狗 典故

功人功狗

西汉初，高祖刘邦平定了天下，论功行封。封萧何为酂侯，位最高，所辖范围很大。那些身经百战的功臣不服。刘邦打比方说：身经百战的武将是善于追捕野兔的猎狗，叫作功狗；萧何是善于发现野兔踪迹并能给猎狗指明追逐方向的人，叫作功人。（见《史记·萧相国世家》）后用“功狗”比喻一件事情的直接实行者，用“功人”比喻成功一件事情的指挥者，又用“功人功狗”比喻谋臣武将。

黄耳

西晋文学家陆机养有一只狗，名叫黄耳。陆机到洛阳做官，离家千里，而家里久无音信。一次他对黄耳说：你能替我传送书信吗？黄耳摇动着尾巴表示答应。于是陆机把信写好，装进竹筒里，挂在狗的脖子上。黄耳很快跑到东吴的陆家，又带来了回信。（见《述异记》）后用“黄耳”“黄耳犬”作为犬的通称，也用以指传送信息者。

蜀犬吠日

相传蜀国山高雾重，很少有出太阳的日子，那儿的狗不能经常看到太阳，偶尔看到了，觉得奇怪，不知道是什么东西，众多的狗都会叫起来。（见柳宗元《答韦中立论师道书》）后用“蜀犬吠日”比喻少见多怪。

蜀：古国名，在今四川省。

狗 风俗

清明狗

旧时汉族节日传统食品。流行于浙江杭州一带。每逢农历清明节，城镇糕团店用糯米粉制作，外形像小狗，各家争相购买，悬挂庭中，至立夏日取下，用荠菜花同煮，给小孩吃，民间以为可免疰夏。

狗 格言

为人无贵贱，莫学鸡狗肥

——唐·贯休《琴曲歌辞·白雪歌》

人本身并无贵贱之分的，但应当自尊自勉不要去用那些下贱的手段谋生。

狗 神话

“克玛”的由来

哈尼语儿媳妇叫“克玛”，与母狗叫法同音，因此，其他族的人认为把儿媳称为“克玛”是歧视儿媳的称谓，其实不然。原来传说中云南哈尼族的祖先不会开田种地，日子过得很苦。天仙幺姑娘趁天上晾晒谷种时，偷了一袋来到人间。她装成一个打柴老人，教人们播种、栽培。天帝恼怒，把幺姑娘抓回，打入天牢。幺姑娘设法逃出天牢，又偷了七十六种谷物到人间，还教人们纺纱、织布。天帝凶狠地把她变成一条狗。从此，她不再与人们一起劳动，只能给哈尼人看门守户，保护丰收成果。哈尼人不忘幺姑娘的恩情，每逢秋收割下稻子、煮上新米的时候，必先盛一碗敬给家里的狗吃。老年人也亲昵地把自己的姑娘、儿媳称作“克玛”。

狗 寓言

狗兔相逐

——《战国策·齐策三》

天下有一条著名的善跑的猛狗，叫韩子卢；世上还有一只知名的机灵兔子，叫东郭逡。一天，韩子卢追赶东郭逡，绕着山峰追了三圈，从山上到山下又赶了五趟。兔子在前头拼命逃，疲倦不堪；狗在后面使劲追，累得够呛。到后来，狗和兔子都精疲力尽了，终于累死在山上。一个农夫看见了，他没花一点力气，就捡到一条狗和一只兔子。

◇势均力敌而盲目争斗，必然是两败俱伤，最终让第三方得利。

狗

潘方尔肖形印

外国动物故事

忠实的守护者

[澳大利亚]

在广阔的澳大利亚内陆，红土大地延伸至视线尽头，荒凉中点缀着顽强生长的灌木和树木。在这片无垠的旷野上，有一只忠诚的丁格犬，名叫卡尔。卡尔的主人是一位名叫艾玛的小女孩，她与父母住在一个孤立的农场。艾玛最喜欢与卡尔在农场的草地上奔跑，仿佛这片天地间只有他们两个。卡尔总是紧跟着艾玛，护卫着她，防止野狗或毒蛇的侵袭。

一天，艾玛的父母需要去镇上买东西，留下艾玛和卡尔在农场。傍晚时分，艾玛独自玩耍时，看见远处的丛林间飘来一阵薄雾，带着一丝凉意。她心生好奇，想去看看那薄雾中隐藏着什么。不顾卡尔的轻声哀鸣，艾玛走进了丛林。

丛林中，天色逐渐暗了下来，艾玛意识到自己迷路了，心中涌起一股恐惧，呼唤着卡尔的名字。就在这时，一阵熟悉的喘息声传来，卡尔从丛林深处冲了出来，眼神坚定地看着艾玛，仿佛在说："不要怕，我在这里。"

卡尔围着艾玛转了一圈，嗅了嗅周围的空气。它竖起耳朵，紧张地听着远处的声响。忽然，远处传来沙沙的脚步声，是一群野狗，眼中闪烁着绿光，逐渐靠近。

艾玛惊慌失措，紧紧抱住卡尔的脖子。卡尔发出低沉的咆哮，竖起全身的毛发，面对着那些野狗，毫不退缩。野狗们围了过来，步步逼近，露出锋利的牙齿。卡尔猛地冲向一只试图袭击艾玛的野狗，咬住它的颈部，用尽全力将它击退。

战斗持续了几分钟，卡尔每一次扑击都充满了保护主人的坚定信念。最终，野狗们低吼着散开，消失在黑暗中。卡尔喘着粗气，疲惫地走回艾玛身边，用舌头轻舔她的脸，仿佛在安慰她："我们安全了。"

艾玛抱住卡尔，哽咽着说道："谢谢你，卡尔。"她明白，正是卡尔的勇气和忠诚救了她的命。

夜色愈发深邃，卡尔用身体环绕着艾玛，为她挡住夜晚的寒意。疲惫和恐惧中，艾玛终于在卡尔的怀抱中睡去。黎明的第一道阳光透过树叶洒下，卡尔睁开眼睛，注视着远处，耳朵时刻保持警觉。

随着天色逐渐变亮，艾玛的父母和村民们终于找到了他们。看到卡尔守护着艾玛的场景，艾玛的父亲激动地抱起女儿，眼中充满感激："卡尔，你是我们全家的英雄。"

从那天起，卡尔的故事在整个村庄传开了。村民们无不赞叹卡尔的忠诚和勇敢。卡尔成为了村中的传奇，象征着忠诚和守护者的精神。

十二生肖

邓明书法　潘方尔水墨漫画（局部）

福

zhū

猪

《辞海》中的释义

1. 动物名。哺乳纲，猪科。

   学名 Sus scrofa domestica。杂食肉用家畜。由野猪驯化而成。据出土文物的同位素测定，中国养猪至少已有 6 000 ～ 7 000 年的历史。体躯肥满，四肢短小。鼻面短凹或平直，耳下垂或竖立，被毛较粗，有黑、白、酱红或黑白花等色。汗腺不发达，热时喜浸水散热。性温驯，体强健，适应力强，饲料利用范围广、利用率高。生长快，成熟早，繁殖力强。出生后 5 ～ 12 个月开始配种，妊娠期平均 114 天，每胎产仔 6 ～ 15 头。寿命约 20 年。屠宰率高，肉质优良，适于鲜用或加工。在中国肉类总消费中猪肉约占 85%。农家养猪也是积肥措施之一。
2. 古时特指小猪。《尔雅·释兽》：“豕子，猪。”
3. “潴”的古字。水积聚。《书·禹贡》：“大野既猪。”

组词

猪溷 / 猪猡 / 猪彘

牧猪奴

娄猪 / 墨猪

亥猪

邓明书法

亥猪是十二生肖中“猪”的全称，古人因猪除了吃喝之外万事不解，是混沌之物，适合无光无象、最为混沌的亥时，而列为地支的第十二位。野猪驯化，早于仓颉造字。上古时期，先民巢居树上，认为猪能抗蛇毒，因此在树下养猪。其作为生肖的象征意义，在于朴拙憨厚、慷慨大方、与世无争。

Pig

猪

郑辛遥简笔画

“不许养猪”与“樵夫义虎”

前面我们说到宋徽宗生肖属狗，而又不准民间杀狗的故事。类似的故事还有到元朝时，元仁宗的名字叫爱育黎拔力八达，他的生肖属鸡，便在都城大施“鸡禁”，不许民间养鸡或杀鸡，甚至人们倒提着鸡行走也不行，谁若违犯，就被认为有罪。这里再说一个“不许养猪”的故事。

故事发生在明朝。有个皇帝叫朱厚照，他在位的年号是明武宗。因为他是亥年所生，生肖是属猪，他又动起了“猪禁”的脑筋。

有一回，明武宗一行驾车到扬州去巡视。这一大帮子文武官员前呼后拥着到了扬州。他们过着花天酒地、挥霍无度的奢侈生活。他们就像一大群蝗虫，飞到哪里，哪里的老百姓就倒霉了。因为每到一地就肆意挥霍，老百姓被沉重的负担压得苦不堪言。

皇帝到了扬州，扬州的地方官僚以及皇帝周围的左右侍从，又投皇帝所好，他们说：“民间老百姓养猪、宰猪，虽然是平常的事，但今年是猪年，对于皇上来说，就非同小可了。”

“怎么个非同小可呢？”皇帝问左右侍从。一名侍从告诉皇帝，今年是皇上的“本命年”。请看，现在大家都以为“本命年”是个现代的概念，例如 1950、1962、1974、1986、1998、2010 年出生的人，都属虎，都是属虎的人的“本命年”。可是你看，那个年代皇帝属猪，一到猪年，就有人提醒他到了他的“本命年”。

左右的人还提醒皇帝说，皇上姓朱，这“朱”又与“猪”是异字同音，养猪杀猪，怕流年不利啊！朱厚照一听，认为说得有理。他说：“是啊，我也一直在思忖着这件事。今年不仅是我的本命年，养猪宰猪不合朕（皇帝的的自称）意，况且猪肉也不是好东西，吃了会使人生痤疮，还是不养为好。”于是，这个皇帝又向全国发了一道诏令，严禁全国养猪。诏令中说：

> “从即日起，除牛羊不禁之外，不许喂养豖，不许买卖交换，也不准宰杀，如有谁违犯本诏令，本犯及全家老小，发配到边远不毛之地永远充军！”

这道诏令一发，百姓哗然。但大多数人是敢怒而不敢言。它所造成的后果，几乎使全国的猪崽断种。第二年的清明节，按照各地的风俗，都要祭祖扫墓。没有猪肉，可就令人们犯难了。因为民间祭祀，就是准备好供品向神佛或祖先行礼，表示崇敬并乞求保佑，汉族人民在祭祀的供品桌子上，猪肉向来是不可缺少的。这时猪崽断种，人们一时又无法找到替代的物品。帝王的倒行逆施，弄得老百姓哭笑不得，叫苦连天。

古代的帝王不仅将生肖同人生和国运联系起来，演绎成“不许杀猪”的蠢事，而且还直接用生肖来附会人事，变成赤裸裸的迷信。

宋代大文学家苏东坡的弟弟苏辙，也是一位有名的文学家，他在《龙川别志》中讲过一个故事：

> 在我国历史上的五代十国时期，有个叫张永德的将军。

他是后周世宗柴荣手下的一个军官，担任一种叫“殿前指挥使”的职务。张永德这个人有个特点，就是特别相信道教。所以许多道士都和他接近，有的就直接由张永德出钱养活。

曾经有一个读书人，与张永德见面后不久，就生病了。在张家一住就是几年。张永德酒席款待，直到这个读书人病好了以后。读书人向主人辞行。张永德说：“这几年，我并没有亏待先生，为什么那么快就要离去呢？”

那个书生说：“承蒙先生几年的照顾，我没有大本事，只有一点雕虫小技，愿在你面前试一下再走。”他从腰包里拿出一点药，把水银变成了黄金。张永德见了之后，大为惊愕，向那个书生请教：“无论如何，我要学你的这身本事。”

书生说：“我看先生富贵相，自有30年富贵，我这个雕虫小技，不值得学。”他坚决要告辞，远走他乡。张永德苦苦挽留，也留不下来。那个书生只说了句：“将来我们会见面的，地点是江淮一带。”说着，便走了。

再说，周世宗率领军队后来在寿春（在今安徽省寿县西南）打仗，张永德鞍前马后一直追随周世宗出生入死。张永德又是有名的“神射手”，他在战斗的间隙，带着人马到田野里去射猎，围观的人很多。突然，他在围观的人中间看到了一个僧人，觉得面熟，再仔细一看，面前的这个和尚，就是先前他所接济过的书生。

老朋友见面，一见如故。张永德把这个朋友请到自己的营帐里，就海阔天空地聊了起来。一直聊到半夜。这时，张永德屏退了左右的人，低声问这个僧人：“你说过，我有30

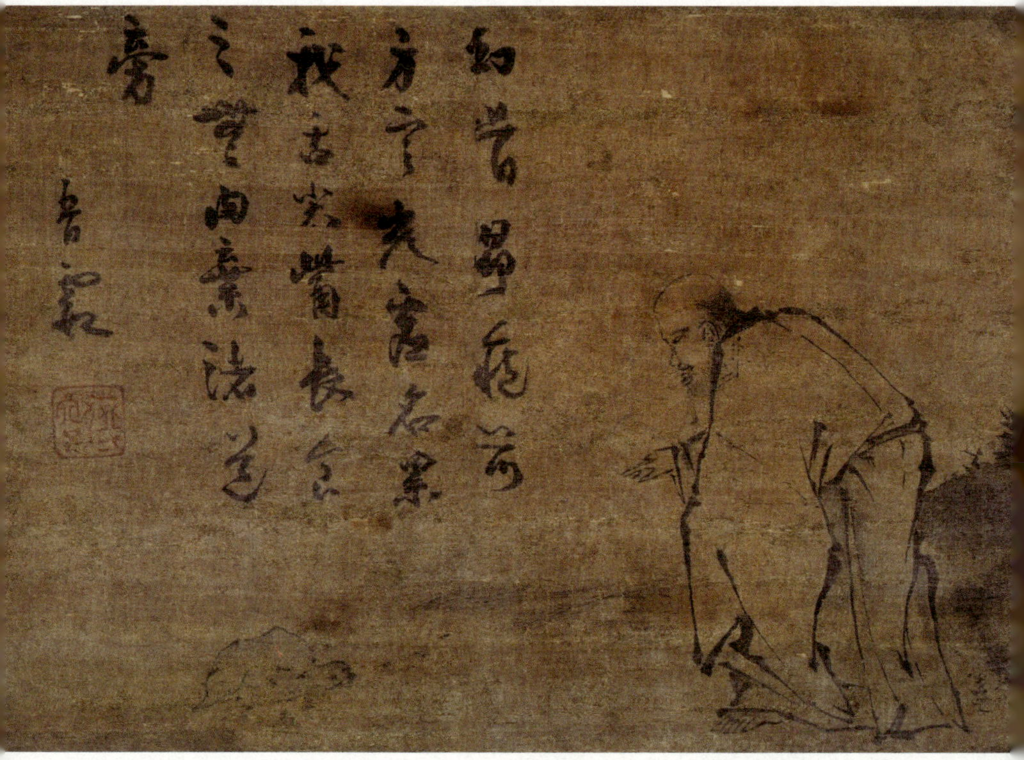

猪头和尚图（局部）

南宋·梁楷

年的富贵，请问有什么根据？”

僧人告诉他：“我说你有 30 年富贵是有条件的，如果你见到两个属猪的人，好好地对待他们，那么，富贵肯定可保。”第二天一早，这个神秘的僧人又辞别了。

后来，张永德果然遇上了一位军官，做自己的助手，一问年龄生肖，果然属猪。张永德大喜过望，用自己全部的积蓄和财力来支持这位助手。这位助手为了报答知遇之恩，又为张永德请来了另一位勇猛过人、身手不凡的军官，一问，也是亥年所生，生肖又是属猪的，张永德暗暗自喜，倾家助之。

这两位属猪的军官，在以后的岁月里，不仅帮助张永德建功立业，而且在有人诬告张永德，说他想“谋反”的关键时刻，又是这两位属猪的将军帮助他化险为夷。张永德这个人，一直到后周灭亡，宋太祖赵匡胤创立宋朝，还稳稳当当地做他的官，一直到他老死。确实是荣华富贵，威风凛凛。

苏辙是用欣赏的口气来写这个故事的。说张永德的为官顺利，主要是两个属猪的人在佐助，显然是把偶然性当成必然性来宣扬了。其实，生肖与人生的荣辱兴衰，很难说有什么必然的联系。

对十二生肖，对于不同的动物，人们可以从不同的侧面理解它。义虎救人，但恶虎也会伤人；吃猪肉即使生痤疮，但也不妨碍我们对“猪浑身是宝”的认识，更不应该因为某个帝王属猪，就不许大家都养猪，这种愚蠢的认识，只能在历史上留下笑柄。

“朱八戒”和“猪八戒”

你在电视连续剧《西游记》里看到过猪八戒这个形象吧，他既可笑又可爱，长着个猪脑袋，胖乎乎的身体。他笨拙而又呆板的动作，诙谐而又风趣的说白，常常逗得人哈哈大笑。人的许多缺点，例如懒惰、贪心、嘴馋等，几乎都集中在他身上了。

前些日子，我与几个小朋友在一起交谈，当我问及小朋友的属相时，许多小朋友都理直气壮地告诉我，有的属虎，有的属龙，有的属猴，只有一个叫玲玲的小朋友低着头，不说话，当我详细了解后，知道玲玲是属猪的。她告诉我，《西游记》里，猪八戒那么多缺点，人家都说“懒猪”“笨猪”，最后她无可奈何地说：“要是我不属猪就好了！”

我听了哈哈大笑。我告诉她，猪八戒是明朝一个叫吴承恩的作家，在《西游记》这部小说里虚构出来的形象。实际上，唐僧取经时，并没有这个人物。再说，猪是人类非常熟悉的动物，它的浑身都是宝。今天，猪却落得个“遗臭万年”的恶名，并成为人们传统观念的受害者和牺牲品。

不久前，考古学家在甘肃省安西县的榆林石窟和东千佛洞，发现了一幅西夏时代的《玄奘取经图》。唐僧取经，在唐朝是一个重大的事件。到西夏时，唐僧取经的故事已经流传了好几百年了。榆林石窟和东千佛洞保存的这幅古画，据专家考证，这是现存最早的玄奘取经图。但这幅距今七八百年古画，只出现了唐僧、孙悟空和白龙马，并没有《西游记》里出现的猪八戒和沙和尚。

真是无独有偶。在杭州西子湖畔的飞来峰龙泓洞的旁边，也保存着两幅宋代雕刻并保存下来的《玄奘取经图》。一幅浮雕刻画了玄奘西天取经的故事，唐僧穿着襦（rú）裤（古人穿的一种短衣裤），披着袈裟，跋山涉水，浮雕上刻有“唐三藏玄奘法师”字样。另一幅浮雕是《白马驮经》故事：雄健的白马背负装满经书的箱子，沿山路小道缓缓而行，有好几名身穿僧服的取经人，历险涉难，往回走。有趣的是，其中有一个人的旁边刻着“朱八戒”3个字。据说，这是唐代到西域求法的第一位僧人，他的名字叫朱士行。

从成画的年代看，甘肃安西发现的《玄奘取经图》壁画和杭州龙泓洞《玄奘取经图》浮雕，时间上相距并不远。而从图中人物形象看，“朱八戒”的形象完全像一个和尚，而并不像猪的形象。把“朱八戒”改为“猪八戒”的，正是小说家吴承恩。

《西游记》第十九回，猪八戒一出场，作家就借猪八戒的口，自我介绍道：

自小生来心性拙，贪闲爱懒无休歇，
不曾养性与修真，混沌迷心熬日月。

这几句话的意思是，猪八戒生来就笨拙，贪玩、懒惰，不知道修炼与养性，终日浑浑噩噩，虚度光阴。这几句话为猪八戒在追随唐僧西天取经过程中的所有活动，定下了一个基调。

猪八戒，当然姓“猪”，名字叫“猪刚鬣（liè）”，后来被唐僧收

猪图

清·王素

为徒弟后，唐僧为他起了个法名，叫“猪悟能”，又命令他受戒当和尚之后，不准吃五荤三厌，所以唤他叫“八戒”。猪八戒，就是猪的化身。

尽管猪肉在我们的食物中占着重要的地位，但在人们的心目中，却对猪本身没有什么好印象。在我们这个世界，除了老鼠之外，也许没有其他动物像猪这样被人们误会、贬损，甚至辱骂。一向认为猪是愚蠢笨拙，生性好吃懒做，肮脏下贱的畜牲，所以凡讥讽嘲笑和辱骂别人时，总要加上个“猪”，如骂人笨，说“笨得像猪”，骂人不听话或不成器，说“像个猪一样”；骂人懒惰，说“懒猪”；甚至骂肥胖的人，也说“胖得像猪”。

世俗的传统观念，使猪蒙受了不白之冤。其实，猪是有智慧的动物，它并不像世人说的那样蠢笨。有科学家说，家畜中以猪最会用心思去解决问题，如猪会用舌头推水龙头上的活塞而取得水喝，也懂得齐心合力将沉重的铁栅拱开，更知道栏边的哪一块石头是松的，要是主人疏忽忘了及时修补，不久你就会发现，它们已在栏外昂首阔步了。所以，猪是聪明的。斯巴达人曾用铃声代替口令，使猪能够跟着铃声前进后退，而且井然有序。更有人训练猪表演特技，凡是狗能耍的把戏，猪几乎全学得会，所花时间又短。

有的史书赞美猪厚道、忠诚、谨慎、宽容，因为猪对于人类所给予它的低标准饮食和居处环境从不计较，都能忍受。这是它生来就有的脾气。所以在一些科学家眼里，猪是那么可爱，苏联自然学家赫森这样评价道：“猪不像马、牛、绵羊那样疑心重重，畏缩顺从；不像山羊那样鲁莽，天不怕地不怕；不像鹅那样满怀敌意；不像猫那样屈尊俯就；不像狗那样摇尾乞怜。”作为六畜之一，猪为我们日常生活提供了丰富的美味，同时也为人类的健康立下了汗马功劳。这一切就不必一一细说了。

我们中国人远在文字发明之前，就已经把野猪驯养为家畜了，所以中文的“家”这个字，便是屋顶之下养有猪的象形字。到了春秋战国时期，出现了“豕人”这个职位。“豕人”是主管猪的鉴别、选种的官员。几千年来，我国人民积累了丰富的养猪经验。在猪的选种方面，古代农书《齐民要术》《农政全书》和《本草纲目》等著作，都有详尽的记载，我国种猪以早熟、易肥、耐粗饲料和肉质好、繁殖力强等特点而著称于世。汉、唐以来，随着海上交通的发达，中国猪广为欧、亚各国人民所称道。当时罗马帝国本地猪种生长慢，晚熟，肉质差，不能满足统治阶级的要求，于是他们千方百计地引进中国华南猪，以改良本地猪，最后培育成罗马猪。罗马猪对近代西方著名猪种的育成起着很大作用。总之，现今世界上许多著名猪种，几乎都有中国猪的血缘，由此可见我国对世界养猪业贡献之大。世界著名的科学家达尔文曾经说过：“中国猪在改进欧洲的品种中，具有高度的价值。”

有关猪的神话，传说和故事，除了《西游记》里塑造的那个既可笑又可爱的猪八戒外。历朝历代，几乎都有这样的故事：

> 我国古代一位很有学问的人，叫孟轲。相传他小的时候，看见邻居在杀猪，便跑回家来好奇地问妈妈：“邻居伯伯他们在干什么呀？”孟母正忙着，所以不加思考地随意答道：“乖孩子，人家是在杀猪。”孟子似乎不理解，过了一会，又问：“他们为什么要杀猪呢？”孟母回答他说：“杀了猪好让你有猪肉吃啊！”孟子听了以后，就兴高采烈地出去玩了。
>
> 孟母忙完手中的活儿，方才想起刚才那番话有说漏嘴的

地方，赶紧想法子补救。因为这个善良的母亲不愿意给孩子一种“轻诺寡信”的印象。我们常常把随便答应人却又不能做到，即不守信用，称为“轻诺寡信”。所以孟母赶忙到邻居家去买了猪肉回来，烹给孩子吃。这个故事反映了中国贤母言必信的品格。

在我国古代，还有很多边养猪边发愤读书，立志干一番大事的人。

在后汉时代，有一个叫吴祐的人，20 岁时，父亲死了。吴祐的父亲生前虽然在京城做官，但是始终是两袖清风，没有给儿子留下金银财宝。所以当吴祐把父亲的丧事办完之后，家里就什么也没有了。

吴祐是一个颇有其父亲风范的谦谦君子，人穷志不短。他决心自己养猪，而且毫不介意别人的耻笑。通过养猪放牧赚钱来维持自己的温饱。有一次在赶猪的路上，吴祐遇到了一位父亲生前的好友。这位世伯看到吴祐这种穷困潦倒的样子，认为有失斯文，劝吴说：“贤侄谋生的方法很多，你为什么偏偏要去养猪呢？你这样不知长进，岂不有辱你父亲的声誉？”吴祐不以为然，并没有放弃养猪这个行当。

因为外人并不知道，吴祐是一面养猪，一面抽空刻苦饱览群书，抓紧时间学习以增长知识。他从中感受到了快乐，不惧怕别人的误解和嘲笑。真是“苍天不负苦心人”，后来，吴祐终于成为一名大学士，得到了人们的赞赏和尊敬。

猪，并不是一个蠢笨、贪婪、肮脏的动物，相反还有些可爱之处。我们应抛弃历史形成的偏见，为它“正名”。

只盼风调又雨顺

潘方尔水墨漫画

猪 诗词·名句

猪肉颂

宋·苏轼

净洗铛[1]，少著水，柴头[2]罨烟焰不起。
待他自熟莫催他，火候足时他自美。
黄州好猪肉，价贱如泥土。
贵者不肯吃，贫者不解[3]煮。
早晨起来打两碗，饱得自家君莫管。

注释

① 铛：锅。
② 柴头：柴禾，做燃料用的柴木、杂草等。
③ 解：了解。

解说

把锅子洗干净，放水少许，燃上柴木、杂草，用不冒火苗的虚火来煨炖。等待它自己慢慢地熟，火候足了，它自然会滋味极美。黄州有这样好的猪肉，价钱贱得像泥土一样；富贵人家不肯吃，贫困人家又不会煮。我早上起来打上两碗，吃饱了您莫要理会。

游山西村①

宋·陆游

莫笑农家腊酒②浑，丰年留客足鸡豚③。
山重水复疑无路，柳暗花明又一村。
箫鼓追随春社④近，衣冠简朴古风存。
从今若许闲乘月，拄杖无时夜叩门。

注释

①游山西村：山西村是浙江省绍兴县的一个村庄。
②腊酒：腊月里酿的酒。腊，腊月，就是农历十二月。
③豚：小猪，这里指代猪肉。
④春社：立春以后祭祀土地神的日子。

作者简介

陆游（1125—1210），南宋诗人。字务观，号放翁，越州山阴（今浙江绍兴）人。一生创作诗歌很多，今存九千余首，内容极为丰富。《关山月》《示儿》等篇为世人传诵。有《剑南诗稿》。

解说

不在乎农家腊月酿的酒浑浊，丰年有鸡鸭鱼肉款待客人。来时山峦重叠，水流曲折。正疑惑无路可行，忽见柳树成荫、鲜花烂漫，又见村庄。春社日快到了，一路上迎神的箫鼓声随处可闻。村民布衣素冠，古风依旧保存。愿今后能不时乘月拄杖，轻叩柴扉，夜访村民。

猪不嫌人臭，人反道猪香。

——唐·寒山《无题》

小池聊养鹤，闲田且牧猪。

——唐·王绩《田家三首·其二》

司原豢俗豨，日见容阴昵。
喜比为白麟，惟忧不丰溢。
烈飚泽雨作，真声向人出。
司原悔何由，肝胆空骇栗。

——宋·梅尧臣《豕》

最好水村风雪夜，地炉烟暖岁猪鸣。

——宋·陆游《视东皋归小酌二首·其二》

猪头烂热双鱼鲜，豆沙甘松粉饵团。

——宋·范成大《祭灶词》

丁亥如意

赵澄襄剪纸

猪 成语

狼奔豕突

像狼一样奔跑，像猪一样乱窜。形容成群的坏人到处乱闯，到处破坏。

豕：猪。

突：冲撞。

鲁鱼亥豕

古代篆文“鲁”和“鱼”、“亥”和“豕”，字形相似。把“鲁”错写成“鱼”，“亥”错写成“豕”。比喻写别字错字。

人怕出名猪怕壮

人怕出了名会惹来麻烦，猪怕长肥了被宰掉。

猪 俗语

看见猪头肉，赶紧要还俗

出家人有不食荤腥的戒律。一看见猪头肉，就赶紧想要还俗。用来讥讽某些人见异思迁，意志不坚定。

还俗：僧尼或出家的道士恢复普通人身份。

马上吃猪蹄，不知骨头落在那里

骑在马背上吃猪蹄爪，骨头随吃随扔，不知道扔在什么地方。比喻人不知葬身在什么地方。

没了王屠，连毛吃猪

没有姓王的杀猪人，就得吃带毛的猪肉。比喻干某件事若没有内行人，就办不好。

王屠：姓王的杀猪人。

没吃过猪肉，也见过猪跑

比喻虽然没有亲身经历过，但总见识过。

庙里猪头，有主

谓东西已有主人。

拿着猪头找不着庙门

拿着猪头去庙宇上供，却找不到庙宇的门。比喻拿礼物送人却找不到门路。

宁舍千金献真佛，不拔一毛插猪身

意谓宁可把许多钱花在当花的地方，不愿把一文钱花在不当花的地方。

钱到公事办，火到猪头烂

只要贿赂的财物到手，便能将本来要拖延的事情办了；就像火候到了，猪头便会煮烂一样。旧时比喻衙门官吏贪赃索贿的恶行。

死了张屠夫，不吃浑毛猪

比喻即使缺少了某个重要人物或重要条件，事情照样能办好。

屠夫：指以宰杀牲畜为职业的人。

浑毛猪：没有去毛的猪。

死猪不怕开水烫

比喻反正已到了最坏境地，没有后顾之忧，就不怕任人摆布了。

乌鸦笑猪黑

乌鸦自己是黑的，却讥笑猪太黑，比喻没有自知之明。

秀才谈书，屠夫谈猪

读书人喜欢同别人议论书上的内容，杀猪的人喜欢同别人谈论与猪有关的事。比喻各人都喜欢谈自己熟悉的事。

秀才：指读书人。

猪八戒照镜子，里外不是人

指猪八戒在镜子里和镜子外

都不是人。比喻做事情到处受埋怨，没得到一点好处。

猪八戒吃人参果，不知味

《西游记》写猪八戒吃人参果，贪图多吃，囫囵咽下，不知是什么味道。比喻贪食但不知滋味，也用来指不识货，不知道东西的价值。

猪鼻子插葱，装象

大象以长鼻子为特征。猪鼻子插上葱以为像大象一样有了长鼻子。常用来讥讽装模作样、煞有介事。

猪困长肉，人困卖屋

谓猪多睡长膘快，人贪睡影响生产，会穷得总有一天卖屋而倾家荡产。

困：指睡觉。

猪 典故

白豕

相传古代辽东一户人家的母猪下了一只白头小猪，主人很惊奇，要送到京城贡献给皇帝。当他走到黄河东岸时，发现这里所有的猪都是白头的，才知道这并不是稀奇的，就把猪又赶回去了。(见《后汉书·朱浮传》) 后用“白豕”比喻少见多怪。

东坡肉

北宋苏轼号东坡居士。相传他任杭州刺史时，疏浚西湖，修筑湖堤。每逢节日，百姓送酒肉给他。他收到猪肉后，就叫人切成方块，烧得红酥酥的，分给民工们。这种肉味道鲜美，流行开来。后用“东坡肉”指微火炖烂的大块猪肉。

十二生肖：猪

徐悲鸿

亥豕

孔子的学生子夏到晋国去，途经卫国。有位读晋史的人说：晋国军队三豕（三头猪）渡过了黄河。子夏说：不对，是己亥渡过黄河。因为“己”与“三”相近，“亥”与“豕”相似，所以弄错了。他们到晋国一问，果然像子夏所说的那样。（见《吕氏春秋·察传》）后用“亥豕”形容文字形体上的错误。

亥：地支第十二位，古人用地支与天干配合，记录年、月、日。

牧豕听经

一边放猪，一边听人讲经。东汉的承宫，8岁时就给人家放猪。同乡的徐子盛给数百名学生讲解《春秋经》，承宫放猪经过那儿，对徐所讲的经义非常感兴趣，因此把猪放在一边，专心听经。听经的学生们就把承宫留下来。承宫边为众门生拾柴禾，边学习，他这样苦读几年，勤学不倦，终于懂得了经义，回家后又去教授别人。（见《后汉书·承宫传》）后用“牧豕听经”作为勤苦治学的典故。

杀彘教子

曾子的妻子到集市上去，儿子哭着也要跟去。母亲便哄他说：你回去吧，等我回来杀猪给你吃。等她回来时，曾子就要去杀猪。妻子说：这只是骗骗小孩子的。曾子说：孩子事事是向父母学习的，今天你欺骗他，这就是教小孩子去欺骗呀！最后还是把猪杀了。（见《韩非子·外储说左上》）后用“杀彘教子”表示说话算数，教小孩子诚实。

彘：猪。

猪 风俗

肥猪拱门

汉族民间春节饰物。流行于天津、河北等地。春节窗花的一种。用黑色腊光纸剪一头肥猪，猪背上驮一只聚宝盆。每逢农历正月初一，多数人家喜欢在屋门的左右玻璃窗上，对贴肥猪窗花各一张，祝愿财物进家。

抢猪节

畲族传统节日。流行于浙江南部。相传为纪念马娘娘帮助人们养好肥猪而在秋收时节演戏娱神，为期七天七夜。第七天晚上，各家将宰杀的猪抬到宫中陈列，由迎神头评猪，被评为首、大、昌称号的，披红挂彩，放鞭炮，送回主人家。其余由各家自己抬回，摆酒宴，称吃杀猪福。宴罢，主人称猪肉给客人带回家中。

追公猪

汉族生产旧俗。流行于浙江西部。养母猪的人家，若要给母猪交配，必须请“猪亲家”。请来后，先烧双份点心给养公猪的人吃。公猪与母猪交配后，养母猪户要送出门外几百步外，称“追公猪”。

猪 神话

封豨

——《淮南子·本经篇》《楚辞·天问》

中国神话中大野猪，长牙，利爪，力气赛过牛，在中原桑林一带害人。羿连发几箭，都射中大野猪的腿，叫它动弹不得，然后活捉过来。他宰杀野猪，蒸成肉膏，奉献给天帝，而天帝却不喜欢。

猪 寓言

罚人吃肉

——明·冯梦龙《古今谭概》

唐朝有个人叫李载仁，生来不吃猪肉。有一天，他要出门去接受上级官员的召见。正要上马，两个仆人打起架来。他非常气愤，就命人拿来大饼和猪肉，罚两个打架的仆人面对面地吃下去，还警告他们说："以后如果再打架，还要在猪肉里加点奶油来处罚你们！"

◇有的人以为自己不喜欢的东西就一定是最坏的，这种想法太可笑了。

河阳猪

——明·刘元卿《贤奕编》

宋朝大文学家苏东坡听说河南的河阳县产的猪肉味道非常鲜美，就派人去买。买猪的人喝醉酒，让猪跑掉了，就买了另外一个地方的猪来代替它。苏东坡杀猪请客时，客人们吃了猪肉，都表现出惊奇的样子，纷纷称赞猪肉多么美味可口，说任何地方的猪肉都比不上它。后来，客人们知道了事实真相，都因为说了讨好的话而难为情。

◇不顾事实地讨好别人，往往会出洋相。

三虱相与讼

——《韩非子·说林下》

三只虱子在一头肥猪身上争吵不休，另外有一只虱子路过那儿，问："你们为什么争吵？"三虱子说："还不是为着争块肥美好吃的地方。"那只虱子说："祭祀的日子就要到了，马上就要烧茅柴杀猪祭神了。对此你们不担忧，却在争吵这些干什么呢？”虱子们一听觉得有理，就停止了争吵，聚在一起抓紧吸猪的血。把猪吸瘦了，人就没有去杀它。

相与：在一起，互相。

讼：争吵。

◇吸血鬼虽然相互间也你争我夺，但在共同的利益即将丧失时，就会勾结得更紧。

形体与精神

——《庄子·德充符》

一头母猪死了，一群小猪还是聚在母猪怀里吃奶。可是过了一会儿，小猪吓得离开母猪，向四面八方乱窜。因为它们突然发现，母猪已经不再像过去那样给它们母爱，关心照看它们了，它们已不能再感受到母亲的生命气息了。这群小猪原先是那样爱母猪，它们并不是爱它躯壳，而是爱那使身体富有生气的精神。

◇人的精神是体现人的价值的根本，丧失了精神力量，也就丧失了存在的意义。

祝人说猪

——《庄子·达生》

古代祭祖宗要杀猪。那天，祝人穿着黑色祭服来到猪圈，对猪客气地说：“你为什么要怕死呢？我将好好供养你三个月，我还要十天吃素，三天闭门修心，然后用洁白的茅草把你的肩膀、屁股垫得松松软软的，恭敬地请你躺在精雕细刻的祭祀礼盒里，让你舒服一辈子！你说这样好不好？”

祝人：古代祠庙中掌管祭祀的人。

说：说服。

◇动听的言辞，可能掩藏着狠毒的杀机，应该警惕。

猪

潘方尔肖形印

外国动物故事

幸运的小猪与森林之谜

[德国]

在德国黑森林的边缘，有一个宁静的小村庄，村民们以种植和手工艺为生。村庄中住着一只可爱的小猪，名叫弗里茨。村民们都说，弗里茨是村里的幸运星，因为每次它出现，总会带来好运。

一天，村庄里传出一则古老的传言：在黑森林深处隐藏着一座失落的宝藏，它是几百年前一位老工匠留下的。传说这位工匠将自己毕生的财富藏在森林中，并用神秘的符文和机关保护起来。村民们一听到这消息，心中便燃起了寻找宝藏的希望，但也充满了对黑森林的敬畏，因为那里充满了迷路的传说和未知的危险。

村中的年轻人汉斯最喜欢探险，对朋友们说道："我们该试试运气，也许我们能找到宝藏，改善整个村子的生活！"听到这话，弗里茨兴奋地跑到汉斯脚边，用鼻子轻轻拱了拱他，仿佛在说："带我一起去吧！"

汉斯笑了笑，摸了摸弗里茨的头："好吧，弗里茨，你可要用你的好运气帮帮我们。"

清晨，汉斯和几位同伴带着地图和干粮，踏上了前往黑森林的旅程。弗里茨走在最前面，用鼻子嗅着空气，耳朵不时抖动，似乎在寻找什么。不久后，他们来到一片开阔地，地面上布满了古老的符文。汉斯小心翼翼地查看这些符文，发现它们指向了森林深处的一条小径。弗里茨拱了拱地面，一块松动的石板竟然露出一条小路。众人惊喜不已，沿着小路走去。

走了不久，小路变得越来越狭窄。突然，一阵低沉的咆哮声从远处传来，紧接着，一头大野猪从树林中冲出，挡住了他们的去路。弗里茨没有退缩，勇敢地走上前，对着大野猪发出一声友好的哼哼声。令人意外的是，大野猪停下了脚步，低头闻了闻弗里茨，眼中的凶光渐渐散去，转身慢慢走回了树林深处。

“弗里茨，你真是我们的幸运星！”汉斯惊叹道。众人重新鼓起勇气，继续前行。

他们走到一处巨大的树根交错的空地，中央竖立着一座古老的石碑，石碑上刻着一行模糊的拉丁文字：“只有心怀纯洁与智慧者，才能揭开我的秘密。”汉斯和同伴们面面相觑，不知道如何破解这道谜题。

就在这时，弗里茨突然跳上石碑，用鼻子轻轻碰了碰石碑的中央，石碑竟然开始震动，缓缓分开，露出一个地下石室。石室里闪烁着微光，摆放着一箱金银珠宝和一卷卷古老的工艺图纸。

“我们找到了！”汉斯的声音中带着难以置信的激动。

村民们回到村庄后，将宝藏中的财富用于修缮住房和学校，余下的分给每个家庭。而那些古老的工艺图纸，则让村中的手工艺品闻名四方，吸引了许多外来者。

十二生肖

潘方尔肖形印

从屈原的生肖说起

每年农历五月初五，是民间的端午节。在端午节这一天，我们都有吃粽子的风俗。为什么端午节要吃粽子呢？千百年来，一直流传着许多动人的传说。其中的一个说法是纪念爱国主义诗人屈原。

屈原是战国时期楚国诗人。他学识渊博，主张彰明法度，举贤授能，东联齐国，西抗强秦。当他 62 岁的时候，得知楚国沦亡的消息，忧愤交加，终于在农历五月初五这一天，投身于波涛滚滚的汨罗江中，壮烈地以身殉国。人民怀念他，怕江中的鱼吃掉沉在水底的屈原的遗体，每到五月初五这一天，江南人民总要举行龙舟盛会，并把苇叶包糯米做成的粽子，投到江里给鱼吃。这个风俗一直流传到今天，还流传到日本、朝鲜、马来西亚等许多国家。

屈原的故事是大家所熟悉的，但屈原的生肖属什么？知道的人就不多了。其实在屈原生活的时代，还没有形成十二生肖与动物的对应。而今天推算起来，屈原应当是属虎的。

也许有的读者朋友要问我，你是怎么知道屈原生肖的呢？我说这是屈原在他不朽的作品《离骚》中自己告诉人们的。他在诗中写道："摄提贞于孟陬兮，惟庚寅吾以降"。其中"孟陬"和"庚寅"就是屈原出生的年和月。因为我们现在纪年、月、日的方法，也就是记录时间的方法,已经和古代大不相同了。我们要弄清十二生肖的来龙去脉,先要了解一些这方面的简单知识。

生肖，也叫属相，十二生肖，即:鼠、牛、虎、兔、龙、蛇、马、羊、猴、鸡、狗、猪。你在某一年出生，就有一个与这一年适配的动物作为你的属相。例如1991年是农历辛未年,也就是俗话说的“羊年”,这一年出生的孩子,在生肖上都属羊。这是我国民间计算年龄的方法,也是一种古老的纪年方法。

有一句格言说 :“一滴水能反映太阳的光辉。”同样，从“生肖”这个符号里，也可以看到它所储藏的我国古老的天文历法的信息和知识。我国十二生肖的形成，是古老的华夏族纪年法和少数民族纪年法相互融合的结果。有关专家的研究成果告诉我们 : 我国从夏、商、周三代之前的帝舜时代，就开始使用 10 个天干符号和 12 个地支符号相配合的干支纪年法，这是我国最古老的历法。

什么是“干支”呢？以树干和树枝作譬喻,它们是一个相互依存,相互配合的整体，就像一棵大树，挺拔的树干，又伸出许许多多枝杈，正是树干和树枝的交相配合，才构成了大树的枝叶繁茂。古人以天为“主”,以地为“从”,“天”和“干”相联系叫作“天干”;“地”和“支”相联系叫作“地支”，合起来就是“天干地支”；简称为“干支”。按照古人的分法，干有 10 个，就是甲、乙、丙、丁、戊、己、庚、辛、壬、癸，总称为“十天干”;支有 12 个，就是子、丑、寅、卯、辰、巳、午、未、申、酉、戌、亥，总称为“十二地支”。

干支纪年法，就是把天干与地支按顺序搭配起来，也就是每一个天干和每一个地支按照一定的顺序而又不重复地搭配起来，用来作为纪年的代号。把天干的第一个“甲”字和地支的第一个“子”字配合，就成了“甲子”，天干的第二个“乙”字和地支的第二个“丑”字配合，就成了“乙丑”，其他如“丙寅”“丁卯”……天干的第十个“癸”字和地支的第十个“酉”字搭配，就成了“癸酉”。由于天干有10个，而地支却有12个，10个“天干”已经轮完后，地支还有“戌”和“亥”，这时候，天干再由“甲”字开始，继续与地支余下的戌、亥进行搭配。这样循环往复，就形成不相重复的60对搭配，从“甲子”开始，到“癸亥”为止，算作一圈，又叫作“六十甲子”。按这种顺序来纪年，从甲子年开始到癸亥年为止，计60年一次轮回，周而复始，不断地循环，每隔60年的纪年干支完全相同。这是我国古代历法中的一项重大发明和独特创造。

到了距今两千多年前的汉朝，人们为了便于记忆，又把这种“干支纪年法”中的12地支同12种动物的名称搭配起来。从而组成了子鼠、丑牛、寅虎、卯兔、辰龙、巳蛇、午马、未羊、申猴、酉鸡、戌犬、亥猪12种年份的代称。这样，在推算年月的时候，凡是带有“子”的年份，如“甲子”“丙子”“戊子”“庚子”“壬子”等年份，就叫“鼠年”。出生的人生肖属鼠；同样，凡是带有“寅”字的年份，就是“虎年”。这就是所谓“属相”和十二生肖的由来。

根据这种纪年方法的推算，加之其他诸如古代纪岁方法，我们来分析屈原自己所写的“摄提贞于孟陬兮，惟庚寅吾以降”的诗句，可知“摄提”是“太岁在寅”之年，就是虎年。“孟陬”指夏历正月建寅之月，“庚寅”是他生日的干支，按照我们今天的生肖和属相风俗，那屈原肯定是属虎无疑的了。

动物崇拜与“兽纪年”

十二生肖，是 12 种动物，即鼠、牛、虎、兔、龙、蛇、马、羊、猴、鸡、狗、猪。其中除了龙是虚构的、带有神秘性之外，其他都是常见的动物，与人的生活有着密切的关系。为什么人的生肖要选 12 种动物，而不是植物或其他东西？我们的祖先当初采用 12 地支加上特定的标志，除了通过生动的动物形象来增强联想，便于记忆和推算年月时光，以增加生活的情趣之外，也反映了上古时代人们对动物崇拜的心理状态。

大家知道，“崇拜”就是高度的尊敬和钦佩，作为万物之灵的人，为什么对动物表现得那么尊敬和崇拜呢？为了说清楚这个问题，我们不妨以彝族人的“虎崇拜”，作为例子。

在我国西南地区的彝族人民中，一直传承着崇拜老虎的风俗。每个民族都有他们对于世界起源的看法，大多数用“创世诗”的形式反映出来。彝族的创世诗《梅葛》中有这样一句话：“世间的东西要算老虎最猛。”因此，要用老虎的 4 根大骨来撑天。有一个彝族民间故事说：

> 洪水毁灭了人类和万物。在一场洪水过后，世界只剩下

两兄妹。天神命令这两兄妹成婚，组成家庭，生下了7个姑娘。

一个青年变成老虎来求亲，父母不答应，在老虎的威逼下，

最后还是把小女儿嫁给了他。

这个故事一方面反映了彝族历史上男婚女嫁中有“抢亲”的习俗。据说，就是一直到今天，在许多少数民族中，逼婚、抢婚也仍然存在某种象征仪式。另一方面反映了对虎的崇拜。

彝族人为什么崇拜虎？这与彝族的生活环境有很大关系。彝族人民大部分都生活在森林繁茂的山区，这些地方过去都是老虎的栖息出没之地，老虎对彝族人民的生活构成了很大的威胁。当时由于生存方式落后，人们不能抗击老虎的侵害，因而时时处于对虎的恐惧之中。民俗学家告诉我们，人对于某种动物一时还不能战胜它的时候，就只有尊敬它。由对老虎的恐惧，逐渐形成了对老虎的崇拜。因为老虎的凶猛，彝族人的祖先就把它看成有着超自然力量的神灵。

像彝族人崇拜老虎的习俗，在其他民族中，也有相类似的动物崇拜。

我国第一部神话总集《山海经》中曾经列举了许多动物神，它们都是由两种动物合体，或者是动物与人合体而成。这种奇特的动物，尽管在自然界中是找不到的，但是，从构成合体动物的种类来看，不外乎是龙、马、牛、羊、虎、豹、蛇、猪、狗等动物，与人们的生产和生活关系都很密切。猪、马、牛、羊、狗是人们狩猎的对象，后来又成为人们饲养的家畜，是我国古代的重要食物和生产资料；虎、豹、蛇等动物，由于其异常凶猛，对人们的生命安全构成极大的威胁，是使人望而生畏的动物。但由害怕、畏惧，也会变成崇拜。

古人所接触到的动物的种类肯定是很多很多的，但之所以要挑出

这十几种来崇拜，就是因为这些动物和古人生存和生活有着密切的关系。德国古典哲学家费尔巴哈曾经说过："人之所以为人要依靠动物，而人的生命和存在所依靠的东西，对于人来说就是神。"他说的意思是人生活在这个世界上，离不开动物，而人要依靠这些动物，又未能充分掌握其特性时，人们常常会将它们神化。人对动物的崇拜正符合这个逻辑。《山海经》中所提到的那些动物，后来几乎都被列入了十二生肖，可见十二生肖的起源与古人的动物崇拜是有着密切关系的。

同样的道理，用这种动物来纪年，如北方古代少数民族，用 12 种不同的动物来配年为号，称之为"狗儿年""羊儿年""马儿年"之类，比抽象地用天文历法的符号来纪年，不仅显得富有人情味，而且也易懂易记，对于目不识丁的一般百姓来说，显得更加容易接受。因此，这种"兽纪年"、即用 12 种动物来纪年的风俗，最早的时候，曾经比较普遍地流行于我国北部从事游牧业的少数民族之中。反映唐朝历史的史书《新唐书》上也有古代的黠戛斯国以动物纪年的记载，如这一年是"壬寅"，就称之为"虎年"。反映宋朝历史的《宋史》上也记载说：

> 宋仁宗在位当皇帝的时候。为了全面了解宋王朝周围的一些民族的经济民生和风土人情，命令一个叫刘涣的官员出使旺蕃，也就是代表仁宗皇帝到旺蕃去执行这种使命。旺蕃人十分热情地接待了宋朝来的使者，用隆重的上宾之礼来款待刘涣一行。在为他们接风而设置的宴席上，宾主在美酒佳肴中谈笑风生，旺蕃人的首领在谈到他们那儿的事情时，也是用 12 种动物作为年代概念的，说兔年如何，马年如何，羊年又如何如何。可见，他们用"兽纪年"的方法，是确定

无疑的。

所以，清朝有一位著名的考据学家，他的名字叫赵翼，在他的著作《陔餘丛考》里，就下了这样的结论，他说：兽纪年最初是由北方少数民族用子、丑、寅、卯等12辰，分别用鼠、牛、虎、兔之类来表示年代。到汉朝时，匈奴族人南下进入中原，匈奴人的首领称为单于，单于率领民众到汉族人的居住区与汉人相杂而居，这种“兽纪年”的风俗，也因此流传到汉族聚居的中原一带地区，从此为广大汉族人民所接受。于是，这项习俗就一直被传承沿袭下来。

正是这种“兽纪年”的方法，与我们老祖宗的干支纪年法，尤其是与12地支相配合，产生了“十二生肖”之说。我们从汉代一位著名的唯物主义思想家王充的著作《论衡》的《物势》篇中，可以看到“午马”“子鼠”“酉鸡”“卯兔”等记载，《四讳》篇也有“子之禽鼠，卯之兽兔”的说法。这些见于古代典籍的记载，可以证明支配动物的十二生肖，最迟在汉朝已经形成。

到我们国家民族融合和斗争极其尖锐的南北朝时期，“兽纪年”的资料就更加丰富了。《周书》卷十一《晋荡公宇文护传》有一封宇文护的母亲身陷囹圄时写给他的信，母亲在信上说：“想起过去在武川镇的时候，生下你们兄弟几个，老大属鼠，老二属兔，你是老三，生肖是属蛇的。”宇文护是个孝子，读到母亲的信，泪流满面，悲愁极了，想到母亲在忍受折磨，自己又无力去解救，只有仰天长叹而已。但是，我们从中仍可知道当时叙事述人，每每都称人的属相，如“东昏侯属猪”“崔慧景属马”等。由此更可见当时民间普遍喜欢使用十二生肖记人的情况。

“灶马”和十二生肖神

把十二生肖作为“神”来崇拜，在今天的人们看来，是相当可笑的。可是历史上，我们的古人确实是把它们奉若神明的。我们不妨就从“灶马”说起——

农历腊月（十二月）二十三日（有的地方是二十四日），在我国传统民俗中有祭灶活动。灶，是民间用砖、坯、铁制品等制成的生火做饭的设备。过去，人们相信有灶神，认为他掌管一家的祸福财气。祭灶，就是供奉和纪念灶神（也叫“灶君”“灶王爷”）。古时候，家家户户在灶（锅）台上供着灶王爷，称他为一家之主，每到腊月二十三日这一天，要把灶王爷送上天。所以又称为“送灶”。

但是，灶王爷是不会单独行走的，必须由“灶马”拉着走。这“灶马”不是别的，就是画有两匹大马的黄纸，或用秸秆扎成的马，俗称“拉灶马”。“送灶”时，“灶马”和“灶糖”供在灶王爷画像前，待天黑，点上蜡烛，烧香放鞭炮，全家人要跪在灶王爷前虔诚祈祷：“上天言好事，回宫降吉祥”。或者“上天言好事，下界保平安”。然后，把糖抹在灶王爷的嘴上，以封其口，意思是不让他在玉皇大帝面前讲坏话。最后把灶王爷画像“请”下来，连同“灶马”一起塞进灶口烧掉，叫作送灶王爷上天。后人有一首诗记述这件事，诗云：

忽闻爆竹乱书声，香添盛盘酒正盈。

莫向玉皇言善恶，劝君多食胶牙饧。

意思是说：在书房里忽然听到“送灶”的鞭炮声，供奉在灶王爷面前的盘子里，盛满了酒馔佳肴，灶王爷上天请不要向玉皇大帝诉说人世间的喜恶，还是多多食用麦芽糖塞住嘴巴吧！

这个习俗显然包含有一定的迷信成分。但是，这个习俗中的“灶马”倒是颇为引人注意的，让“灶马”陪伴着“灶神”，这个“马”难道不是也起到了“神”的作用吗？

我们中国人对于“神”的民间信仰，是相当宽泛的。天地万物乃至人。都可以被神化。各个行业、各种器具都可以成为神。人们对于神的信仰，也是基于一种非常实用主义的态度。今天信了，明天又可以不信，老百姓对于神灵的信仰，也处于一种自生自灭的状态。据说某种神灵灵验，立即香火大盛，一不灵验，也立即绝祀，也就是停止了对它的信仰。于是，再创出新的神灵来。对这些所谓“神”的创造也没有一定的规则，大到山川河流，小到像生肖神一类，都一直处于兴了又废，废了又兴的状态之中，拿十二生肖而言，也是这样一步一步地被神化的。

在“千古一帝”秦始皇统一中国之前，中国历史上处于群雄并起，征战争霸的战国时代。战国时代又是百家争鸣，各种学说和流派空前活跃的时期。其中有一种阴阳五行学说，方士们把干支纪年与 12 地支相对应，并把 12 支的五行属性与金、木、水、火、土这五行学说相联系，如规定寅、卯属木，巳、午属火，申、酉属金，亥、子属水，辰、未、戌、丑属土。金、木、水、火、土这五行之间是相生相克的，因此 12 支也就产生了相生相克的作用。

阴阳五行学说的倡导者们认为世界万物都是由金、木、水、火、土这 5 种元素组成的。金克木，木克土，土克水，水克火，火克金。因此，12 地支之间也是这样相生相克，普遍联系的，他们以此来解释种种自然现象，推算人世间的祸福灾异。这种推算方法，一直延续到汉朝。当时有所谓的“日者”，就是操持这种迷信为职业的人，可以算得上是后世算命先生的老祖宗。

比如，他们认为“寅”为虎，五行属木，戌、丑、未分别与狗、牛、羊对应，五行属土，就根据“木克土”的五行原理，得出了“犬与牛羊为虎所服”的结论。

在古代的方士们看来，12 生辰者，并不是属于个人的，也不是属于某个动物的。它们是人世间的一种“气”，而且这种“气”也会有某种变化和发展。如：

“子”的意思是滋养，万物都是由滋养而生成的气；

“丑”的意思是枢纽、万物之气都离不开总枢纽，而且经枢纽使“气”不断上升；

“寅”是处于萌芽状态的万物开始生成；

“卯”的意思是茂盛，天下万物逐渐繁茂；

“辰”是阳气发泄，雷电振动，万物皆生；

“巳”是繁茂后的气已经殆尽；

“午”是阴阳交合，阳气衰落，阴气生成；

“未”的意思是万物都成，有滋味；

“申”的意思是言阴用事，申则万物；

“酉”的意思是事物成长成熟；

“戌”的意思是阳气入地，万物尽灭；

“亥”的意思是核取其好，收藏万物。

古人不仅把12地支附会到阴阳五行学说上，而且提高到哲学的高度，这就为十二生肖神化搭起了桥梁。

从汉代以后，十二生肖被推及人生，子年生属鼠，丑年生属牛，寅年生属虎……也许是人的生肖的缘故，人们又衍生出种种禁忌，因而奉十二生肖为神。

《广异记》中说了这样一个故事：唐朝时候，唐太宗李世民把美人和宝贝财物等，赏赐给他的大舅子赵国公长孙无忌，想不到唐太宗赏赐的这个美人，却染上了狐大仙附体的毛病。狐狸在所有动物中是最为狡猾和妖冶的，“狐狸精”“狐大仙”之类附在人的身上，事实上根本没有这回事，但古人缺乏科学知识，把女子的精神方面的一些病，常常说成是“狐大仙”附体。那么怎样把“狐大仙”从美人的身上驱走呢？有人向唐太宗建议，说相州（当时辖境相当今河北省成安、广平县和魏县西南部，河南安阳市、汤阴、林县、内黄及濮阳西南部地区）一位姓崔的参军（唐代地方上的低级官员）在治“狐大仙”方面本事如何了得，可以请他来治疗这个美人的病。于是，皇帝下了诏令，命崔参军火速赶到京城，到长孙无忌家，为这位美人治病。

崔参军来到病人的房间，四下张望，口中念念有词，然后坐在那儿画了一张符，刹时间宅内门庭内，有十二生肖神驾到，或高或矮，容貌奇伟，他们都是应崔参军的“征召”赶来参加治病的……

《广异记》是一本搜罗人间怪闻佚事的笔记作品，所以上面所说的故事也是非常荒诞的。但无论如何，其中所涉及的“十二生肖神”，也反映了民间对“生肖神”的崇拜，可见至少在唐代已经有了十二生肖神的传说。

在福建漳州东岳庙的东侧，有个长生娘娘殿，殿堂两旁就供奉着12 个生肖神的像，都是人形，所对应的生肖动物形象，都塑在神的衣服上面，而且这些神都各有称呼：

李大夫（鼠） 田大夫（牛） 雷大夫（虎） 柳大夫（兔）

袁大夫（龙） 纪大夫（蛇） 许大夫（马） 朱大夫（羊）

杜大夫（猴） 曲大夫（鸡） 成大夫（狗） 阮大夫（猪）

人世间有这些栩栩如生，有姓氏并冠之以“大夫”的十二生肖神，“灶马”的出现就不奇怪了。

生肖与姓名的故事

我国十二生肖绝大多数都可以作为姓氏。例如在湘西的苗家儿女，有不少是姓“龙”的。说起这个姓的来源，还有一则美丽动人的神话故事哩。

从前，苗寨隆百户有个女儿，名叫米黛，生得非常美丽，而且聪明灵秀。方圆百里，大户人家子弟，都想娶她做妻子。可是，米黛的父亲是个势利眼，只讲金钱，不讲情义，他看中了当地最富有、最有权势的统治者——土司，要把米黛嫁到土司家去。米黛不慕虚荣，不爱荣华富贵的人家，她坚持要找个自己心里喜欢的人，闹得她父亲坐卧不安，成天在堂上乱转。

一天晚上，百户把米黛喊到堂屋里，先是甜言蜜语地说：“我半截身子都要埋进土里了，膝下只有你一个人。女儿嘛，总是人家的，不能跟我过百岁。今晚要说个明白，到底同意哪家，非定下来不可！”

米黛一声不吭。百户发火了：“你是木雕的脑壳呀，讲不通，劝不转，金边碗不拿，要捧讨饭碗；贵人不做，做叫花子？今天你不答应，也得答应！”

任父亲怎样威逼，米黛低着脑袋，咬紧嘴唇，就是不吭声。百户气得破口大骂:“贱骨头，丧门星！你给老子滚出去，死也罢，烂也成，从今不准跨进我家门。”

天，黑得伸手不见五指，米黛阿妈暗地打发丫头追到路上，悄悄送了 500 两银子，一匹红马给米黛，米黛倒骑在马上，信马由缰，由马任意走。米黛走啊走，也不知何处是归宿。

恰巧海里龙母带着龙子从湘西苗寨走过，龙母打扮成一个头发雪白、衣衫褴褛的老阿妈，他们正遇上了无家可归的米黛，得知米黛的不幸遭遇后，心里非常同情。老阿妈称自己也是个苦命人，自己如何穷困，只得住在岩洞靠个伢崽外出讨饭，并愿意与米黛姑娘住在一起，互相帮助，互相接济。

当米黛姑娘知道了老阿妈的身世以后，更加可怜这个苦命的老婆婆，提出愿意嫁给她的儿子，并永远侍奉老人。老阿妈说 :“你是富家姣女，从头到脚都是金花银花。我穷得像坨岩头，流不出一滴油。那伢崽又染了一身病，我们母子俩吃不上，穿不上，住岩洞，我儿子怎配得上你呢？”听老阿妈这样一讲，米黛更感到老阿妈的心像金子一样可贵，对着老阿妈说 :“住岩洞我愿意，无衣无食我去找，只要陪伴着你老人家，就是喝黄连苦水，我也心甘情愿！”

米黛姑娘用自己的真诚和辛勤的劳动，使老阿妈心里十分欢喜，也赢得了那位年轻后生的真挚爱情。当天，这一对新人拜了老母，又拜了洞神，对天盟誓，结成了夫妻。

婚后，米黛取出银子。送给她的丈夫去买米。后生拿着银子，背上口袋，到百户家去买米。恰巧又被百户跟踪而来，一直找到他们住的岩洞口。当百户知道米黛已和这个年轻人结婚的消息，气得差点晕了过去。他凶神恶煞般地骂了起来 :“贱骨头！你干的好事？！和叫花子鬼混在一起，败坏门风，你快跟我回去！”米黛心里没有半点害怕，只是平静地说：“你不是常说，嫁出门的女儿，泼出去的水么！”

百户恶狠狠地骂道：“你这贱东西，还嘴硬，快把衣裙给我脱下，老子没有你这个贱东西！”米黛把身上衣裙和银两，全都丢给百户。百户把衣裙扯得稀巴烂，兜着银子，牵着马走了。

老阿妈走过去搂着米黛说：“你快回去跟你阿爸认个错吧！”

米黛说：“我生是你家人，死是你家鬼！”她和这个后生互敬互爱，勤耕勤织，侍奉着老阿妈，吃的有剩，穿的有余，竖起了吊脚木楼，过着幸福美满的日子。

但是，好景不长。不幸的事情发生了。

东海龙王得知龙母和龙子，住在苗山，娶了苗家姑娘，不愿回龙宫来了，大发雷霆。派遣乌龟丞相前来苗山，传令龙母龙子速回东海龙宫，不得违抗。

龙母龙子眼看违拗不过龙王命令，不得不向米黛讲出真情。米黛听了又惊又喜，将她已经怀孕 3 个月的事告诉龙子。龙子安慰说：“米黛啊，你不要担忧，我誓死不离开你！我到玉皇那里去，请求蜕去龙鳞，变为凡人。”不等龟丞相带领兵将到来，龙子抢先走了。

龙母被抓回龙宫，龙王对她进行百般严刑拷打，要她供出龙子到哪儿去了。龙母受刑不过，只得说：“龙子到玉皇那里请求蜕皮脱鳞去了。”

龙王立即去见玉皇，要求将龙子交回龙宫惩办。龙子跪在玉皇阶前，苦苦哀求成全他们夫妻，玉皇怜悯米黛身怀有孕，念龙子多情，发了善心，就对龙子说：“贬下凡尘，要蜕皮脱鳞，抽筋换骨，就不能再回仙界了，你要认真想想，千万不要后悔呀！”龙子表示愿意永为凡人，决不后悔。

龙子被送到太上老君的炼丹炉里，经过三晕三死，脱去了身上的龙皮龙鳞，脱掉了龙胎龙骨，变成了凡人。从此，他与米黛情深似海，永不分离了。他们勤耕勤织，生儿育女，创家立业，日子越过越红火。

传说湘西苗家的姓氏中，姓“龙”的一支即是由此演变而来。儿女子孙世代相袭，繁衍至今，“龙”姓子孙遍及神州大地。

这个神话故事反映了我国古代人们的一种图腾崇拜。什么是“图腾”呢？原始社会的人一般把跟本氏族有密切关系的某种动物或自然物，用作本氏族的标志。例如有的氏族崇拜牛，就以“牛”作为图腾的标志，或作为氏族的标志。他们常把氏族的来源看作是自己的祖先同某种自然崇拜物相结合的产物而加以无限的崇拜。因而，最初作为氏族标志的姓，往往与人们所崇拜的某种图腾密不可分。如古代有姓“姜”的氏族，姜是从羊从女，羊可能就是姜姓氏族的图腾。上面说的湘西苗族的这则故事，反映了他们的祖先可能以“龙”为崇拜的对象。龙又成了这个氏族的标志。另外，像马、牛、羊、猪、蛇等姓，都是古代一些氏族的图腾标志。

十二生肖大部分都可作姓。有姓“狗”的吗？有的。汉朝有一位姓狗的人，名字叫狗未夹。还有姓豚名少公的，豚是小猪，姓豚就是姓猪。后秦姚苌的皇后姓蛇。汉朝时候，有个人担任合浦太守，姓虎，叫虎旗。元朝有一个河内知县也姓虎，叫虎秉。明朝的一个山西都督，也姓虎，叫虎大威。明朝时还有人姓鸡，叫鸡鸣时，还有人姓羊，叫羊可应。至于龙、马、牛等姓氏，在现代也是常见的。

名字是代表一个人的符号。远古的时候，人们崇拜鬼神，认为人们的灾难、幸运与自然现象都紧密相关。因此，人们把出生的时间、地点、状况、环境、人事与一些发生的自然现象之间的巧合，都看作是神的安排而加以崇拜。并在取名时加以体现，这样，与个人一生命运紧密相关的名字，也带有了迷信的色彩。

我国古人的取名受统治阶级的伦理思想、道德规范的支配和影响特别大。在正式命名时，一般不以畜牲动物的名来用于人的名字。但由于受重男轻女思想的影响，对于男子也有用十二生肖中的某些字，如龙、虎、牛、马等以象征勇猛、威武、吉祥。但作为小名和乳名情况就大不相同了。

用十二生肖取小名、乳名的，在我们国家的大部分地区，都不鲜见。昆剧名作《十五贯》，其中的主人翁，因为是子年出生，属鼠，其大名就叫娄阿鼠。在我国的江南水乡，小名叫“阿虎”“阿龙”“阿狗”的，更是一种常见的习俗。

在湖南湘西地区，还有一种特别的取名习俗，叫“打鸡取名”。夜郎（我国古代地名）人家生了小孩，满了 3 天那天，称为“满三朝”。这一天，要由孩子的父亲打死一只大公鸡，或杀一只母鸡来办“取名酒”。这天不拘凶吉，父亲抱孩子出大门，立即回家。新生儿是男孩，父亲还要挂包袱，里面放着纸墨笔砚文房四宝，或者放金钱戥（一种测定贵重物品或药品重量的器具）等东西。吃好“取名酒”，请新生儿的爷爷、奶奶、或外公、外婆同座，共同为新生儿取名。最先由新生儿的父亲提名，征求长辈的意见，如果大家不满意，就另取第二或第三个名字。总之，要大家都大体满意为止。夜郎人取名的特点，保持古老的风俗习惯，一般以十二生肖中的某几个生肖命名，如老狗、老牛、老猪等。

我国民间还有“取贱名”的习俗，在一些民族中尤其普遍。“取贱名”，一般都是用猪、狗之类不太雅的字眼取名。因为人们相信，叫着卑贱的名字，不惹神灵注意，可保佑孩子健康成长；这叫作“正话反说”。叫着丑的名字，却寄托着美好的愿望。汉族某些地区，子女长得俊俏，父母却叫其“丑丑”，子女活泼可爱，却用“二狗”“土狗”之类命名。

在藏族地区，父母常常因为子女多病体弱，希望他（她）长得结实，给子女取名为“琪珠”，意思是“小狗”；取名为“琪加”，意思是“狗屎”。在山西一带，对孩子越喜爱，取名字就越难听，如“狗头”“铁牛”，等等。

步入现代文明社会以后，人们为孩子取名的方式也在改变，但中国传统“不用牲畜取名”的习俗仍然在起作用。现在继续沿用十二生肖来取名的现象，大概已经不多了。

谣谚所反映的生肖故事

古代劳动人民在长期的生产劳动的实践中，把口头流传的说唱与本地歌谣融汇在一起，形成了具有鲜明的地方特色、藏量丰富、绚丽多彩的民间歌谣和谚语，我们简称为谣谚。

谣谚是一面镜子。它既反映着每个历史时期的政治、经济、文化等社会生活的各个侧面，又是一个民族风俗文化的体现，反映着一个民族的精神状态、文化心理素质以及所处地区的生态环境等各方面的真实风貌。

《南齐书·五行志》上记载了南北朝时期，永元年间（499—501）在民众中间流传的一首童谣：

野猪虽㖞㖞，马子空间渠。
不知龙与虎，饮食江南墟。
七九六十三，广莫人无余。
乌集传舍头，今汝得宽休。
但看三八后，摧折景阳楼。

这首童谣里讲了属猪、马、龙、虎的 4 个不同生肖者之间的你争我斗的故事。

南齐皇帝东昏侯，名字叫萧宝卷，他是属猪的，平西将军崔慧景属马，梁王萧衍属龙，长史萧颖胄属虎。东昏侯萧宝卷当了皇帝以后，猜忌功臣，疑心与他一起打天下的人会造反。他暴虐无道，自然不得人心。不久，有一部分官兵果然起来造反了。萧宝卷生怕危及他当皇帝，又派遣平西将军崔慧景出征，去讨伐叛军。

但是，这位崔将军对皇帝并不忠诚，他率军到了广陵以后，非但没有与叛军战斗。反倒另外拥立一个叫萧宝玄的人当皇帝。崔将军反戈一击，进军包围了都城建康。结果崔慧景兵败被杀，死的时候恰巧是“七九六十三”岁。

正当萧宝卷与他的文臣武将钩心斗角，陷入一片混战的时候，另外的一股力量又勾结在一起，两个分别叫萧衍和萧颖胄的人，这一龙一虎搞在一起，同时举兵讨伐猪，即东昏侯萧宝卷。最后萧衍夺得了天下，建立了南梁王朝。“三八二十四”，说的就是南齐王朝从建立到灭亡，正好经历了 24 年。南齐的内战才以改朝换代而结束。“摧折景阳楼”，指南齐政权的土崩瓦解。

如果将这首童谣用今天的话来说，那就是：属猪的萧宝卷虽然厉声吼叫，却不知属马的崔慧景心怀异心，“猪”与“马”竭力争斗不已，却还有一龙一虎正在图谋着南齐的天下。

北朝时候，齐文宣帝高洋，于天保十年（560）得暴病而死。从公元 550 年，高洋称帝改元起，经过了 10 年的帝王生活，这个独夫终于死在晋阳宫的德阳堂内。

高洋的死，好像早就给人预料到一样。有人在他死之前，就像猜字谜一样，说他称“天保”年号中的“保”字，是“一大人只十”，齐文宣帝在位不会超过 10 年。这还不算，更有人散布和流传着这样的谣谚：

马子入石室，

三千六百日。

北齐宣帝高洋是午年出生的，生肖是属马。因此，称他为“马子”。又因为高洋居住的三台又曾经是一个叫石季龙的人的故居，所以又叫“石室”。古人把360天看作一年，3600日，正好是10年，高洋在位又恰恰是10年。这一切当然只是一种偶然的巧合。但是，那谣谚把这一切都看成是先天的，好像命中注定要发生的，这就是一种迷信和唯心主义。

历史上众多的谣谚不仅反映了当时的社会政治、经济、文化等，也是人民群众与封建统治阶级进行斗争的一种形式。

“生男如狼”与“生女如鼠”

东汉时代，有一个大史学家叫班固，曾经写下了名垂史册的巨著——《汉书》。班固有个妹妹，也是个有名的女才子，名字叫班昭。可惜，她并不是一个叛逆的女性，而是一个对封建制度极其顺从的女人。不仅自己恪守封建礼教的种种清规戒律，她还通过著书立说，告诫社会上所有的女子要严格遵守封建秩序。例如，班昭写过一本《女诫》的书，也就是古时候的“女子守则”。其中这样写道：

> 自然界是由两种特性阴与阳组成的。人世间也是由男人与女人两种人组成的。刚强是阳性最高的品德；柔弱是阴性至高的功用。所以，男子以刚强最为宝贵，女子则以柔弱最为美丽。因此正如一句俗谚所说的那样：“生男如狼，犹恐其羊；生女如鼠，犹恐其虎。”

班昭引述的这古代俗谚，大意是说：生个儿子即使像狼一样凶狠，也唯恐他属羊；生个女孩即使胆子小得像老鼠一样，也生怕她属虎。这段话，又无意中流露了班昭生活的那个时代民间生肖与男尊女卑的联系。

在十二生肖中，羊是常见的动物，也是一种驯良、温顺的动物。

在远古时代，原始人首先是把温饱作为生活的第一要义。在狩猎时期，捕获一只羊比捉住虎、狼、野猪、野牛要容易得多；当人们知道饲养、驯化野生动物时，羊因其性情温驯，当然便成了最早最易驯养的动物。因此，羊在远古时代便成了人类肉食的主要来源。原始人往往用羊来祭鬼（死去的祖先）、祭神（人身外各种不能解释的自然现象，包括上帝、山川、风、雨、雷、电等），这就是祭祀的来历，在行祭祀礼时用的肉，便是“牺牲”。

我国古代还有“歧路亡羊”的故事。古代典籍《列子·说符》记载了战国时代魏国的一位著名学者杨朱的事迹，其中特别提到了那只可怜的迷了路的羔羊：

> 杨朱的邻居，有一天走失了一只羊。邻居全家出动去寻找，还同杨朱商量，要求派人帮忙去追。到了晚上，大家一个一个都空着双手回来，谁也没有追到那只羊。
>
> 第二天，杨朱问邻居：“你们这么多人去追一只羊，怎么还追不着呢？”
>
> 邻居回答道：“唉，岔路太多了！大路两旁有许多岔路，每条岔路又各有许多小岔路。那只羊不知走入哪条岔路去了，它还能不迷失方向吗？我们有什么办法把它找回来呢？”
>
> 杨朱听了这话，大有感触，心想：“求学如果不专一，走入了岔路，也会像那只倒霉的羊一样的！”他想着想着，心情沉重起来，好半天不说话，一整天都没有笑容。他的学生很觉诧异，问道：“老师，一只羊能值得多少，而且又不是您的，何必这样不高兴呢？”杨朱没有吭声，其实这个学生没有猜透老师想的是什么。

这个寓言故事告诉人们，人不能像羊那样，走在无穷的岔道上，分散精力，迷失正确的方向。

虎有“百兽之王”之称。勇冠群兽，自古被人们视为英武勇猛的象征,所谓“虎子”“虎臣”“虎将”“虎视”“虎步”“虎踞”“虎气”“虎名”“虎威”以及“气壮如虎”“矫健如虎”“勇猛如虎”“气吞万里如虎”等，早已成为脍炙人口的赞美之辞。在人们的心目中，虎象征权威，能驱邪除魔。但是，古时候，人们为什么又偏偏怕女孩子属虎呢？以致民间一直有“雌老虎可怕”的说法，追溯起来，大概也与千百年来怕女孩子属虎的民俗和心态有关。

怕男孩子属羊与怕女孩子属虎，其思想根源，正是封建的“重男轻女”和“男尊女卑”。总而言之，在生肖文化中反映出来的男尊女卑的思想是比较强烈的。当然，生肖中的“生男如狼”“生女如鼠”一类的习俗，也从一个侧面反映了北方民族的粗犷、骠悍的气质。寒冷的气候条件，恶劣的自然环境，历史上频繁的战争，以及天灾人祸等难以预测的事件，造就了中华民族的弘毅和阳刚之气。民间生肖中的“生男如狼”，也正适应了我们民族生存和发展斗争中的需要。历史的发展，社会的进步，生活的开拓，都需要真正的男子汉。否则的话，男人不像个男人，无论干什么事，畏首畏尾，像个小绵羊，他就不能承受生活的艰辛，不能克服创造中面临的各种艰难。

其实，一个真正的男子汉，不论他属虎还是属龙，不论他属鼠还是属鸡，也不论他属兔还是属羊，只要他不躲避现实，勇敢地面对生活，总是好样的热血男儿。

生肖与传统伦理

十二生肖是我国人民所特有的民俗文化，所以，它就不能不打上中国人所特有的人情魅力。

据古书上记载说，羊是动物中最值得人钦佩的，因为它有“孝行”。古人说：“鸟有反哺之义，羊有跪乳之恩。”意思是说，鸟有了食物会拿给它的“爸爸”“妈妈”吃；羊总是跪着吃“妈妈”的奶。的确，在动物世界中，只有羊是跪着吃奶的。

传说牛也是很孝顺的。它一出生就首先跪拜母牛，好像在感谢“妈妈”的养育之恩。其实，牛和羊一样，刚出生时，因为腿骨软，不能立即站起来，要练习一段时间才行。在练习时，一会儿跪下，一会儿站起来，站起来摇摇晃晃地站不稳又跪下，像行跪拜礼一样，就这样站站跪跪不停地转动方向，转了好几圈以后才能站稳。于是人们便有牛生下来必须“拜四方”，不拜就站不起来的传说。

古人观察出牛、羊的这些特点，也确实不容易，后来有人竟也把它归纳到传统伦理一类的“忠、孝、仁、爱、礼、义、廉、耻”的说教中去，用于规定人伦，倒也显得很是贴切。

我们知道，讲孝行，是我国传统文化中的一个基本的道德规范。

狭义地理解，就是要孝顺父母，尊敬长辈。主要表现为子女要赡养年迈的父母，要善于体察父母的心情，以父母长辈的好恶作为衡量自己言行的价值尺度，对父母恭恭敬敬，言听命从，即使父母有过失，也要婉言规劝，而不可得罪双亲，违背他们的意志。

相传春秋时期的楚国有个老实人，乡里的人都因为他诚实坦直而将他称为“直躬”。有一回，他父亲偷了人家的羊，直躬知道后，并没有袒护他父亲。而是直接告到官衙里去。听差们当即抓了直躬的父亲，送到官府堂上听候审判发落。堂上为了治乱用重罚，判了他死刑。这时，直躬又前往衙门主动承担责任，愿代父受刑。楚王知道后，感慨地说：“父亲偷羊而能够告发，多么有信义啊！知道父亲被重罚又能主动来代替父亲受过，多么有孝行啊！”便下令赦免了他们父子的罪过。孔子知道这件事后，气愤地对他的学生说：直躬的品行有什么好称道的，只有父亲为儿子隐瞒，儿子为父亲隐瞒，这样才是理想的德行！看来，孔子的观点，维护的是旧时代的“礼”，即传统伦理制度和思想。

把牛、羊的“孝行”，附会到人间的伦理道德规范上来，是中国十二生肖中的一个特点。这样，人们把对家室父母的个人义务，升华到对国家君主的社会义务的境界，从而使“孝”成为封建社会“三纲五常”的一块理论基石。这种事例，在十二生肖中，并不是个别的情形。

我国最早的一部诗歌总集《诗经》中有一篇《相鼠》，其中写道:“相鼠有皮，人而无仪；人而无仪，不死何为？相鼠有齿，人而无止；人而无止，不死何俟？相鼠有礼，人而无礼；人而无礼，胡不遄死？”这是一篇讥讽春秋时代卫文公的诗。由于文公昏庸无道，无法匡正民法，君臣交相作乱，全无礼仪廉耻，所以人们讥讽唱道：“老鼠还知道保护自己的外表，而自视很高的人反而不讲仪表；一个不讲仪表的人，活着还有什么作为呢？老鼠有齿，而人却无容颜举止，人要是没有了容颜举止，还有什么指望呢？老鼠也知道行礼，而轻视老鼠的人，反而不明礼仪！不明礼仪的人，还是快快死了算了！”这首诗以老鼠作为反衬，讲的还是维护人间礼仪廉耻一类的道德规范。

我们再看牛。曾经有一则《牛报恩》的故事：

> 从前，有个心肠很好的老人，他走在路上，看见一头牛被人牵到屠宰场去宰杀，那样子十分可怜。这位仁慈的老人顿时生起怜悯之心，就用钱把那头牛买下来带回家去，拴在院里的一棵大树下，喂以好草好料，关怀备至。
>
> 有一天晚上，这头牛忽然发出奇怪的声调，像在呜呜哭泣，十分悲伤。老人听到了牛的哭泣声觉得很奇怪，便走到房外，到院子里的树下查看究竟是什么缘故。就在这时，突然发生了一场大地震，老人住的房子顷刻之间全部倒塌。好在此时他已经在房外，得以保全性命。原来，这头牛预感到地震即将发生，就发出呜呜的哭声，要老人离开房子免受灾难，报答老人的救命之恩。

前面我们曾经说过“义犬救主”的故事，这头“牛报恩”的故事，也反映了中国人伦理思想中的一个主题——义。

鲁迅先生曾经多次赞美牛，“横眉冷对千夫指，俯首甘为孺子牛”。要做人民大众的“牛”，吃的是草，挤出来的是牛奶和血，牛为人类服役终年勤劳，难得休息，中国农民爱牛，尊牛，视牛为自己的第二生命。

再如，我们中国人说到虎，总是联想到虎的威武雄气，能驱除邪魔，并且这种形象常常出现在民间英雄的传奇中。武松打虎、李逵杀虎，都是传奇故事。

在人们的印象里，老虎总是要吃人和伤人的。但在明清笔记小说里，老虎也别有一种形象。清朝有个文人叫张潮，他所辑录的《虞初新志》里有一篇《义虎记》的故事。故事说有一个樵夫（以砍柴、卖柴为生的人），一次在山上砍柴，不小心失足跌落在虎穴里。他想这下完了，总得给老虎吃掉了。可是老虎并没有吃他，相反在分饲小虎的同时，竟也给这个樵夫分食了一些麋肉，即獐子肉，后来，老虎又驮着樵夫回家。为了报恩，樵夫在老虎被猎人捕获之后，便“以死请命”，要求猎人放了老虎。

还有一则故事，是记载在宋朝著名的类书《太平广记》里的，说的是唐朝有个叫勤自励的人，十年从军，当兵在外，解甲归田时，妻子林氏刚刚被逼改嫁。勤自励听到这个消息愤怒异常，他提着宝剑，去见林氏，要问她个究竟。不巧，途中遇上了雷阵雨，勤自励为了避雨，误入虎穴。老虎非但没有吃掉他，居然把他准备自缢的妻子衔来了。只是，这虎是不大通情义的，虽然办了好事，本意还在伤人。勤自励只得前后连杀 5 虎，背着妻子回家，争得了一个大团圆的结局。

这两则笔记都有些耸人听闻，可信度低。比较起来，人们倒是更乐于讲述《水浒传》里武松打虎的故事。虽然，这里也有小说的夸张，却更使人相信，人们也愿意相信。因为，武松打虎透出一股为民除害的浩然正气，而那打虎英雄武松，既不是误入虎穴，也不是为了自家妻儿。他是明知山有虎，偏向虎山行，这就使他的形象高大起来。

从“樵夫义虎＂到“武松打虎”，人们对人与虎关系的构想是完全不同的。这里反映的并不只是人们对自然界中老虎的认识，更多的是借助于虎的故事，阐发对真善美、假恶丑的美学评价和美学理想。

再如猴，人们提起它，一定会联想到《西游记》里的孙悟空。大家都知道，孙悟空是花果山上的石猴变成的猴精，它神通广大，能呼风唤雨，腾云驾雾，一个筋斗就翻出十万八千里，能七十二变，随心所欲地上天人地，翻江倒海。它拿着金箍棒，翻着筋斗云;大闹天宫，打得天翻地覆，使至高无上的玉皇大帝，也被要弄得团团转。它忠心耿耿保护送唐僧到西天取经，一路上降龙伏虎，降妖擒魔，历尽千辛万苦而矢志不渝，终成正果。书中塑造的最吸引人，最好的形象孙悟空，与其说是猴，不如说在写人。孙悟空对唐僧的关系，又是我国封建伦理中“忠”的思想体现。

猴子是很有灵性的动物，据说要是母猴见自己的孩子——小猴子不幸给猎人抓去了，母猴不但会拼命上前抢救，抢救子猴，还会一路哀啼追赶，令人不忍其悲，只好释放其子。古书上还记载了这样的故事：

> 三国时代，有一叫邓艾的人，是曹魏的大将，屡战有功，升任子西将军。平定蜀国后，进封太尉的官职。有一次邓艾外出打猎，他用箭射中了一只母猴，母猴怀中的小猴，并没有自己逃命，反而急忙将母猴身上的箭拔掉，并采了些药草，敷在母猴的伤口上。邓艾目睹了这一幕，深深为之感动，于是将良弓折断丢进水塘里，从此再也不猎杀动物了。

总而言之，十二生肖中的动物，虽然不像人类那样有复杂的、精密的思想，但是在中国长期的历史过程中，我国人民用拟人化的手法，赋予了这些动物以思想，使这些动物故事更加富有中国特色的“人情味”。

十二生肖巧记法

要记住十二生肖，可以把十二生肖分成4组，每组3个，背熟这样一个口诀：鼠牛虎，兔龙蛇，马羊猴，鸡狗猪。还可以把它们一拆为二，即：鼠牛虎兔龙蛇，马羊猴鸡狗猪，也可以一拆为三等。其次，可采取谐音法，即各人按自己的习惯，配上近音字，用以帮助记忆，如将它们配成：龙蛇骂（马）羊猴、鸡狗煮（猪）鼠牛，不妥（虎兔）。

通过生肖可以推算年龄。因为一个人的年龄岁岁不同，而一个人的生肖却一生不变。因此，要记住一个人的年龄显然比记住一个人的生肖要困难得多。但是，不少人尽管记住了别人的生肖，却仍然推算不出他的年龄。我们可以用下面两种方法进行推算。

形象记忆法。将十二生肖与钟表数字一一对应。这样比较容易记忆，也容易推算。比如羊年要推算一个属虎的40多岁的人究竟四十几岁，只要将图上属虎的岁数加上12的倍数就可以了。即：6+12×3=42岁，所以羊年属虎的人年龄依次为6、18、30、42、54、66、78、90、102。

由己推人法。如果我们要推算一个人今后任何一年的年龄，那只要用自己的生肖、年龄来推算对方就行了。比如在羊年，要推算一个属猪的 20 多岁青年的确切岁数，可将自己的年龄（如 42 岁，属虎）生肖与属猪的生肖相差岁数先算出来。这一年肖虎与肖猪相差 9 岁，然后再减去 12，即 42-9-12=21 岁，即羊年属猪的这个 20 多岁的青年为 21 岁。

上述推算方法，只是举例，事实上方法多得很，只要掌握得当，反复练习，熟练运用，就可以熟能生巧。

后记

一鼠二牛三虎头，
四兔五龙六蛇口，
七马八羊九金猴，
鸡犬猪站最后头。

我们每个人都有生肖，比如说我吧，是属虎的，记得小时候，总是缠住大人，问为什么要有生肖？我为什么属虎？生肖有什么用？父母给我讲过不少故事，可惜大多忘记了。1992 年初，我刚四十出头，百家出版社出版了我的这部《十二生肖趣谈》，初版就印行了 2 万册。为了写这本书，当时我查阅了不少书，也利用了平时所积累的一些资料，写下了这些故事，介绍了一些这方面的相关的生肖文化知识和有关生肖的故事。如：从屈原的生肖说起、生肖为什么是 12 个、《老鼠娶亲》故事及其演变、12 生肖中为什么没有猫、“马上封侯”与“沐猴而冠”、龙——生肖的象征意义、吉“羊”如意、“狗逮老鼠”是多管闲事吗、“朱八戒”和“猪八戒”，等等。

今日上海辞书出版社朱志凌主任再出良谋，邀请了邓明、郑辛遥、赵澄襄、潘方尔等多位著名艺术家，以书法、简笔画、剪纸、水墨漫画、篆刻等多种文化元素和艺术形式，演绎和传导了十二生肖这一我们中华民族特有的文化。钱琼、海继恒、裴文武等《民俗掌故日历》编创团队成员，充分利用上海辞书出版社品牌辞书《辞海》等丰富的出版资源二度创作，为每一个生肖配上相应的诗词、名句、成语、俗语、典故、风俗、格言、神话、寓言，著作家康桥还专门编写了外国动物故事。全书还配上了精美的图片，以松弛有核的版面语言，给读者带来更多的悦读体验。原本一本薄薄的给孩子们讲故事的小书，变得如此丰富，真让我有一种“寒鸦变凤凰”逆袭蜕变的感觉。

十二生肖，是中国人特有的“出生证”，也是我们中华民族特有的生命印记和民俗文化。愿这部新版的《为什么没有猫？——趣谈十二生肖》给您的生活带来更多的乐趣。借此次新书出版之际，也向本书写作过程中给予了许多帮助的师长友人，一并致以深深的谢意。感恩每一位团队伙伴，深情厚谊我铭记于心，永志难忘。

中国民俗文化学科的开拓者和奠基人
华东师范大学教授、博士生导师
上海市民俗文化学会创始及名誉会长

编著者简介

著者——仲富兰

当代民俗学家。上海人。毕业于复旦大学哲学系。华东师范大学教授、博士生导师，上海市民俗文化学会创始及名誉会长，中国民俗文化学科的开拓者和奠基人。已出版《中国民俗学通论》（三卷本）、《上海六千年》（三卷本）、《图说中国近百年社会变迁》（四卷本）、《民俗传播学》、《江南风俗与信仰》、《上海民俗——民俗文化视野下的上海日常生活》、《上海小史》、《节日里的中国》、《图说中国人生礼仪》等 50 多部著述，部分被译为英、俄、日、韩等国文字在国外出版。承担“十四五”国家重点出版物出版规划项目《江南风俗图录（1840—1949）》（全十卷）及上海市相关文创研究课题。2019 年起主编《民俗掌故日历》（上海辞书出版社，至今共计 6 版）。另有大量论文和文章散见于海内外报章杂志。

书法——邓明

美术史学者，二级编审。曾任上海人民美术出版社社长，上海画报出版社社长兼总编辑。2002 年获颁国务院政府特殊津贴。中国美术家协会会员，中国摄影家协会会员，上海中国画院画师，欧洲科学艺术与人文学院院士。《大辞海》美术学科分科主编。著有《守望丹青：从沈周到黄胄笔墨肖像一百人》、《近现代名家书画品鉴》、《写给欧美读者的中国画述要》（英、法文版）、《文化中国 · 中国画导读》（英文版）等。

简笔画——郑辛遥

中国美术家协会理事、上海市文联副主席、上海市美术家协会荣誉顾问、上海市文史研究馆馆员。漫画作品曾在比利时、意大利、日本等国举办的国际漫画大赛中获奖。代表作《智慧快餐》曾获第八届全国美展优秀奖、第三届上海文学艺术优秀成果奖。5 次获上海新闻漫画一等奖。

剪纸——赵澄襄

笔名澄子、雅舍和风。中国美术家协会会员、中国画学会会员、中国女子书画会会员，中华文化促进会剪纸艺委会原副主任，广东省作家协会会员，汕头画院画师。中国画作品入选第八、第九、第十届全国美展，获文化部、省、市各级奖项及国际奖项。作品入藏中国美术馆、中国艺术研究院等海内外相关机构团体。出版有个人画集、剪纸集、散文集十余种。

水墨漫画·篆刻——潘方尔

篆刻家、水墨漫画家。14 岁受何乐之先生启蒙，后拜著名文物鉴定家、篆刻名家王敦化先生为师，成为其关门弟子。在《西泠艺丛》《文化》《篆刻》等书刊中有文章作品及专题介绍。著有《潘方尔印谱》等。绘制上海辞书出版社《民俗掌故日历》6 版，曾入选国家新闻出版署“原动力”中国原创动漫出版扶持计划。

《民俗掌故日历》编创团队主要成员

钱　琼　先后毕业于华东师范大学中文系、西南大学中文系、北京师范大学心理学专业。曾评注、出版《论语》（“亲子悦读国学鉴赏”之一）等。

海继恒　华东师范大学中文系博士研究生，主要研究方向为宋代文学。

康　桥　上海市语文学会会员、上海翻译家协会会员。1985 年起任教于上海大学文学院。曾出版《中国人》“古迹寻踪丛书”“亲历中国丛书”等各类著作百余本。

裴文武　书籍设计师，零贰壹肆设计工作室设计总监。

朱志凌　图书编辑、策划人。1997 年调入上海辞书出版社工作至今。主持出版多项国家“十三五”“十四五”重点图书出版规划项目、国家出版基金项目、上海市重大文艺创作项目等。2022 年 4 月，担任责编的《深海探秘：换一个角度看地球》入选“2021 中国好书”。

图书在版编目(CIP)数据

为什么没有猫？：趣谈十二生肖 / 仲富兰著 ；《民俗掌故日历》编创团队编. -- 上海 ：上海辞书出版社，2025. -- ISBN 978-7-5326-6284-5

Ⅰ. K892.21-49

中国国家版本馆 CIP 数据核字第 2024JM7982 号

为什么没有猫？——趣谈十二生肖

仲富兰 著 《民俗掌故日历》编创团队 编

策划统筹	朱志凌	**编　　写**	钱　琼
责任编辑	朱志凌		海继恒
图片编辑	查眉娉		康　桥
英文翻译	秦　悦	**文字编辑**	李婉青
技术编辑	楼微雯	**整体设计**	零贰壹肆设计工作室

出版发行	上海世纪出版集团 上海辞书出版社®(www.cishu.com.cn)
地　　址	上海市闵行区号景路159弄B座(邮政编码：201101)
印　　刷	上海中华印刷有限公司
开　　本	787毫米×1092毫米　1/16
印　　张	25
字　　数	310 000
版　　次	2025年1月第1版　2025年1月第1次印刷
书　　号	ISBN 978-7-5326-6284-5/K·1275
定　　价	96.00元